国际大奖小说

# 爱丽莎的眼睛

## （第二部）

TOBE LOLNESS

[法] 蒂莫泰·德·丰拜勒 / 著

[法] 弗朗索瓦·普拉斯 / 绘

刘英华 / 译

天津出版传媒集团

新蕾出版社

图书在版编目 (CIP) 数据

爱丽莎的眼睛 : 全 2 册 / (法) 丰拜勒著 ; (法) 普
拉斯绘 ; 刘英华译. -- 天津 : 新蕾出版社, 2015.1 (2016.7 重印)
(国际大奖小说)
ISBN 978-7-5307-6163-2

Ⅰ.①爱… Ⅱ.①丰… ②普… ③刘… Ⅲ.①儿童文
学-长篇小说-法国-现代 Ⅳ.①I565.84

中国版本图书馆 CIP 数据核字(2014)第 241371 号

Les yeux d'Elisha by Timothée de Fombelle
Illustrations ⓒ François Place
The French original copyright ⓒ Gallimard jeunesse, 2007
Simplified Chinese translation copyright ⓒ 2014
by New Buds Publishing House (Tianjin) Limited Company
ALL RIGHTS RESERVED
津图登字 : 02-2008-44

**出版发行** : 天津出版传媒集团
新蕾出版社
e-mail:newbuds@public.tpt.tj.cn
http://www.newbuds.cn
**地　　址** : 天津市和平区西康路 35 号(300051)
**出 版 人** : 马梅
**电　　话** : 总编办 (022)23332422
发行部 (022)23332676　23332677
**传　　真** : (022)23332422
**经　　销** : 全国新华书店
**印　　刷** : 山东德州新华印务有限责任公司
**开　　本** : 880mm×1230mm　1/32
**字　　数** : 234.5 千字
**印　　张** : 12.5
**版　　次** : 2015 年 1 月第 1 版　2016 年 7 月第 4 次印刷
**定　　价** : 32.00 元(共两部)

# 主要人物速写

**托比·罗尔奈斯：**

托比是这部作品中的主人公，也是拯救大树的小英雄。因为他的父亲桑·罗尔奈斯不愿意公布一项能源发现的秘密，他们一家被流放、被囚禁，只有托比侥幸逃了出来。托比流落到草原，决心忘掉大树上的一切，直到大树上的作家波尔·科楠告诉他大树的现状，托比才决定重回大树，拯救满目疮痍的大树，拯救自己的父母，拯救爱丽莎。托比是大树上所有正在受难的人们的希望！

**爱丽莎：**

爱丽莎有一种神秘的魅力，她不仅有着让人一见难忘的容颜、出色的智慧，还有着神秘的身世。她住在大树和草原交界的巴斯-布翰希，她成为被流放到这里的托比最信任的人。托比失踪以后，爱丽莎被迫成为新一代暴君莱奥·布吕的未婚妻，机智的爱丽莎乔装逃出了树梢鸟巢，回到了巴斯-布翰希，在这里，她和托比得以重聚，她也终于了解了自己不凡的身世。

# 主要人物速写

**桑·罗尔奈斯：**

桑是托比的养父，他是大树上受人尊敬的科学家，从不失风趣和浪漫。他掌握着一项重要的能源秘密，可是为了保护大树，他不肯将这个秘密透露给当权的乔·密西，为此，他们一家被流放、被囚禁，只有托比独自逃离。

**美娅·罗尔奈斯：**

美娅是桑美丽的妻子，托比慈爱的养母，她出身于橡树上的贵族之家，却心甘情愿嫁给出身并不高贵的桑。她是桑和托比心中"美好"的代名词。

**尼尔·阿芒：**

母亲的早逝使尼尔在粗暴的伐木匠父亲的仇恨中长大，他是大家心中公认的胆小、怯懦的孩子，可他却做出了让所有人都感到意外的英雄举动。他把自己作为替身，掩护了托比的逃亡，自己却因为被追捕而奄奄一息。他的举动成就了一个伟大的男子汉尼尔，并因此成了所有伐木匠的首领。等托比重返大树的时候，他成为帮助托比结束乔·密西统治的最得力的助手。

# 主要人物速写

**莱奥·布吕:**

　　莱奥是托比小时候最亲密的玩伴，他从小被告知自己的父亲被草原光人杀害，心中埋下仇恨光人的种子。可实际上，他的父亲埃尔·布吕，也就是光人口中的"蝴蝶"是死于乔·密西的暗算之下。当莱奥知晓了真相，他也得到了一个最宝贵的亲人：他同父异母的妹妹爱丽莎。

**乔·密西:**

　　这是一个残暴的统治者，他为了一己私欲，不惜破坏大树的结构，大树在经年的破坏下已经满目疮痍。乔·密西滥用象虫，奴役光人，迫害大树上所有有知识、有威望的人。他最终被托比和莱奥击败，大树得以重获新生。

**老虎:**

　　老虎是乔·密西的爪牙，他是管理光人奴隶的头目。他不仅残暴，还有着不可告人的野心。他是杀害托比的亲生父亲尼诺·阿拉玛拉的罪人，最终，他倒在了托比的脚下，托比为父亲报了仇！

# 主要人物速写

**蝴蝶：**

　　蝴蝶是草原上的光人们对一个从大树上来的捕蝶者的称呼，他的名字叫埃尔·布吕，他在草原上找到了真正的爱情，带走了草原人心中的公主——伊莎·李。大树上传说他死于光人之手，其实他正是被散布这个流言的乔·密西杀害。

**波尔·科楠：**

　　他是大树上的"作家"，我们读到的这个故事正是出于他的讲述。他了解一切事情的真相，正是他流落到草原才使托比知道了自己的身世，知道了桑、美娅和爱丽莎正处于危难之中。托比因此决定重返大树。

**月亮头：**

　　这个可爱的孩子是托比在光人中最好的伙伴，他那么崇拜托比，那么向往到大树上冒险，而这次大树之旅证明他已经成长为一个真正的男子汉。

**地瓜：**

　　地瓜只是乔·密西的一个小喽啰，只因为他受到了爱丽莎一次非凡的礼貌的对待，整个世界在他的眼中变了样。他开始追求文雅与礼节。虽然他也常常干点蠢事，可是他对爱丽莎的崇拜和友情却是一颗向善的心的最好诠释。

第二部

大樹新生

## 第十五章

# 背　叛

三个月过去了。

冬天还滞留在树枝上。

让诺兹·阿芒置身失望无底洞的，让他撕心裂肺的，是那毫无疑问的事实——

诺兹很早之前就知道了这个事实：尼尔去过敌人的阵营。

最初的那一天，他无法相信。

那是在深秋的一个夜晚，诺兹和大个子索尔肯在一颗漂亮的星形物上吃晚餐，大老粗索尔肯是他从小一起玩到大的朋友。九月的夜风吹起来还有点热，两位伐木匠凑在一起听夜：最后几片叶子的摩擦声，找不着家的鳃角金龟子的鸣叫声。

他们吃着面包，喝着苔藓啤酒。

在诺兹·阿芒的眼里，这位老朋友是老实人中最老实的一个。索尔肯曾是他与莉莉结婚的证婚人，见证了他们那一天婚礼快乐的场面：传统的夫妻舞，鼻子碰着鼻子，直到第二天上午；同时他也见证了诺兹的悲痛欲绝，也就是在第二年，莉莉产下尼尔后就过世了。

然而，在当时，索尔肯觉得自己没有足够的力量来安慰他的朋友，他甚至连自己都无法抚慰，对于他，以及许多其他人来说，痛失莉莉，就像是痛失了一个好弟媳。

莉莉·阿芒是一个清秀、纤细的女子，非常温柔，非常轻盈，有着一对绿色的眼睛。

美丽的东西总有着不朽的神态……谁能想到莉莉某一天会消失，尤其是在她赋予她的第一个孩子生命时消失。

大老粗索尔肯痛得心都碎了，几个星期之后才能够站在他的老朋友诺兹的面前，对他说："我们大家都很爱她，你知道，我的老哥，我们要帮你。"

而诺兹，坚硬耿直得像一根短粗的木棍，没有接受任何人的帮助、支持，他一个人抚养着尼尔，或者不如说，他看着尼尔独自成长。

索尔肯知道，不是诺兹的粗嗓门儿和响耳光成就了尼尔今天的出类拔萃，那是一只轻盈得如空气一般的手：一只缺席者的手。

那一天，尼尔在林场空地救了托比·罗尔奈斯一命，就是从那一天开始，诺兹发现自己的儿子已经成了一名真正的男子汉。

现在，三年过去了，诺兹·阿芒和索尔肯面对面地坐在这林场空地上，两个人都喝得醉醺醺的，快要倒下了。

"为什么你不说话？"诺兹问道。

索尔肯看着他的老朋友，他再也找不出力量把他原本想说的话说出来。

"说啊，鼠妇！"诺兹大笑着说。

"你的儿子，尼尔……"

"怎么了？"

"他在哪里？"

"别沮丧着脸，一副半死不活的样子，索尔肯，我的儿子在他家里，"诺兹回答道，"要是你有什么要他帮忙的，他肯定会尽他所能帮助你。"

"我绝不想欠一个叛徒任何东西。"

诺兹"嗖"地站了起来，握起拳头向索尔肯冲了过去，准备把对面的伐木匠打昏在地。但在砸碎老朋友的脸之前，在离他的脸一厘米的地方，他的拳头停住了。

"你说什么？再说一遍！"

索尔肯的声音在激动地颤抖。

"我说我不会跟叛徒讲话。"

为了不把他最要好的朋友砸成肉酱，诺兹闭上了眼睛，他那颤抖的拳头还是紧紧地握着，随时都可能出击。索尔肯继续说：

"请原谅我，诺兹，但是我所说的都是事实。我见过你儿子，就在鸟巢上，他常去那儿，与莱奥·布吕秘密约见。"

"尼尔？"

"对，就是他，我看见的就是他。如果你能找出我捏造事实的

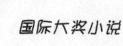
证据,那时你照样可以拿拳头砸死我。"

诺兹松开了手,看着手掌,接着慢慢地从上往下抹过自己的脸,像是在驱赶身上的一个幽灵,接着,他转过头来对着索尔肯,用眼神质问着他。

勇敢的索尔肯还是点了点头,他从不撒谎。

第二天,诺兹亲眼见证了儿子的错误,他甚至看到莱奥握着他儿子的手,就在鸟巢出口处。为了不叫出儿子的名字,诺兹紧咬着嘴唇。

索尔肯发誓不会透露半点消息出去,他和诺兹是唯一知道尼尔·阿芒犯罪事实的人。

诺兹知道自己该怎么做,他心里很明白。

对于叛徒,只有一种惩罚方式。

很早之前他就告诫过尼尔,要么是自由,要么是死亡。几百个伐木匠的性命都在他的手上,大树的未来也是如此。

诺兹决定处决叛徒,哪怕这叛徒就是自己的儿子。

为了保全阿芒家族的名望,他准备单独行动,人们会以为尼尔死于突发事故,没人会知道他的背叛。

去年的最后一夜,诺兹差点就采取行动了。他单独和儿子相处在那间小棚屋里,当时,那把刀就藏在他的腰间,可是,他最终没有勇气下手。

我们可以向一位父亲请求任何东西,除了这个动作。

那一晚,放过尼尔之后,诺兹并没有去夏聂家和其他人一起过节,而是跑到一个洞里躲起来放声大哭,像是从来没有哭过一样。

三个月过去了,我们已经来到了三月。

诺兹有意无意地躲避着他的朋友索尔肯,这个人只是跟他

说过：

"如果你下不了手的话，我能理解，那么，就让我来吧。"

诺兹回答说他在等待最佳时机，索尔肯望着他回答道：

"我可怜的诺兹，没有最佳时机，哪会有最佳时机置自己的儿子于死地？"

但是，尼尔·阿芒，他觉得此刻的人生最幸福最快乐。

针对爱丽莎的使命，他完成得非常好，莱奥·布吕看起来完完全全信任他，托比对此也很高兴。

一切都在往好的方向发展。

但是，还有一件事情，这件事让这位伐木匠首领晕头转向、神魂颠倒，就像是大树突然间头朝下倒立起来，开始在树枝上跳舞。

对于尼尔，自从圣洁的麦伊·阿塞尔多赫来了之后，他的世界就跟以前不一样了……

整个冬天，尼尔每个星期只能见到她一次，也就是他到树林深处的屋子约见托比的时候。

"您来看托比，阿芒先生？"

尼尔不敢说不是，说实话，他更想来看麦伊。

他看着麦伊，年轻貌美的姑娘正在给自己的小外甥女洗澡，她把壶里的热水从雪儿的头上浇下来，热水溅了一地。

麦伊卷着衣袖，围裙紧紧地系在身上，在热气腾腾的淋浴间，小雪儿在她的手下微微地抖动。在这样柔美的画面面前，尼尔觉得非常不自在，就老问雪儿的年纪，麦伊回答说：

"三岁，跟上个星期一样。"

"啊，对……越长越小了。"

"托比在屋子的另一端。"

"哦……"

但是尼尔并没有离开,而是朝着窗口走了过来,对天气评论了一番。麦伊在水汽雾帘后面偷偷地笑着,她闹不明白为什么这样一位大人物也会如此腼腆。上千个伐木匠服从他的命令,无边无际的森林也归属于他,但他说话时竟然会满脸通红……他,可是一位首领!其实麦伊对于这种脆弱还是很敏感,她的手指在雪儿的头发里慢了下来,说道:

"没错,从昨晚开始又冷起来了。"

"我给您抱些被子过来。"尼尔说道。

有时,他勇敢地自荐去大锅里舀热水过来,但是他不敢把水壶直接交到麦伊的手中,害怕一碰到麦伊的手指自己就会支持不住晕倒下去,所以,他总是先把水壶放在地上,放在麦伊的旁边。

终于，尼尔走出去了，麦伊感觉到自己的肩膀有些酥软。她开始拿着一条蓝色的浴巾擦雪儿的肚子，雪儿就一直盯着她，用挂着一丝微笑的眼睛看，直到阿姨把她整个身子卷进浴巾才移开视线。麦伊一边胳肢她，一边说道：

"你什么都猜到了，你，你这个小跳蚤！什么都猜到了！"

对，这小跳蚤什么都猜到了。笑过之后，雪儿扬起食指按在嘴唇上，"嘘——"了一下，出于好玩，麦伊也做了同样的动作，但同时，她心里希望某一天这能成为一个真正的秘密。

尼尔跟托比讲述着他与爱丽莎的会面，要说的事情不多了。

"今天，我看到了她的眼神，有那么一会儿，她的手在抖。"

每一次，他都说道：

"我确定她已经明白你就在我的身后。"

现在托比只有一个忧虑：

"莱奥？莱奥没起任何疑心？"

"没有，他看起来对我很满意，甚至阿尔拜央有时也会对我微笑一下。"

托比沉默了一小会儿，他非常不放心莱奥·布吕这个人。

"莱奥从来就不会对某个人满意，如果他很高兴，这就意味着他在准备着一招冷招，我很清楚莱奥，他曾是我最要好的朋友……"

托比把手指伸向尼尔。

"如果哪一天他把你抱在怀里，那就意味着他已经知道了一切，那么，从那一刻起，赶快跑！赶快消失！不能在鸟巢里多停留一秒钟。"

尼尔笑着说道：

"我会记住这些的，托比，但是眼下一切都很好，莱奥很可能在改变。"

"他不会无缘无故改变的。"托比提醒着他。

"他爱爱丽莎,因为她而改变着。"尼尔嘀咕着,但很快就后悔说了这句话。

托比猛地转身,走远了。

就在这个时候,就在南边的那颗蛋中,一把发着寒光的匕首刺了进来,扎在床垫上,离爱丽莎·李的脸只有几厘米的距离。熟睡中的爱丽莎睁开了眼,从床垫上滚向旁边。

她贴着蛋壳,气喘吁吁地待了很长时间。

一个糟糕的消息:刚刚有人想刺杀她。但也有一个好消息:她将有可能拿到这把匕首,有了这武器,没准儿她能逃出去,只要她能活到那一天。

爱丽莎开始背部贴着地面前行,那把匕首毫无疑问是从穹顶上射进来的,所以她要一直监视着这个方向,以此避开另一次袭击。

爱丽莎手脚反撑在地面,一点点挨近那把匕首,就像是一只蜘蛛爬向蛋心。她窥视着光线最细微的变化,有时又会突然转过头去,看一眼那把在黑暗中发着亮光的匕首。

最终,她爬上了褥子,她的双眼还是没有离开头顶正上方的那个出口,但是手却向身旁的武器伸了过去——她要拿到那把匕首。

又捞了几次,什么也没抓着,她扭过了头。

匕首不见了。

她顺势往后翻,手撑着地面,用尽全身的力气把身子往后推,让脚着地站了起来,摆出自卫的架势。

有人拿走了这把匕首,那他应该就在这里,埋伏在黑暗中,随时可能向她扑过来。

一分钟过去了,蛋壳内没有任何动静。

爱丽莎又靠近了床垫,哪位魔术师能够不现身就拿走匕首呢?就在这时,爱丽莎看到地上有张被穿孔的方形纸,之前她没注意,这张纸应该是穿在匕首尖上射进来的,上面写了几个字,爱丽莎拿过来一看,慢慢地念道:

"我是……"

光线闪了一下,爱丽莎看了看出口,她很肯定黑影从那儿溜走了。

她又读了一遍。

"我是尼尔·阿芒的一位朋友。"


爱丽莎的阅读能力和书写能力都很差,她背着托比自学过,但在托比面前,她从来不承认自己的这种缺陷。

伊莎·李,她的母亲,既不会读,也不会写。

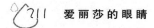

　　爱丽莎记得有时托比会拿出一张纸，或是一个小本子，上面写着长长的句子，这种时刻对她来说总是很痛苦，但过了一会儿，托比会问她：

　　"现在怎么样了？"

　　爱丽莎还是不会读，于是，她回答道：

　　"我真的不感兴趣。"

　　她很后悔说了这样的话，因为事实上，那时的一切都吸引着她。

　　渐渐的，她已经掌握了一些书写的窍门，一个叫波尔·科楠的老先生教会了她，他是巴斯-布翰希地区一位年迈的诗人，就是他教会了她阅读和书写。

　　科楠的能力测试是让他的学生拿着一张小纸条出去，纸条上写着："如果你能读出这句话，这就说明你不再需要我了，再见。"

爱丽莎读过之后，还是感觉很别扭，她不相信，于是又读了一遍，读到第三遍时，终于高兴起来了。

不是有人要暗杀她，正相反，有人要救她，那个黑影就是尼尔和托比那边的人。

他们正在策划解救她，没准这个黑影……爱丽莎想到了托比的面孔……

这些年来第一次，爱丽莎发出了求助的呼叫，她抛弃了所有的固执和冷酷，在寂静的屋子里低声地说道：

"请帮帮我，告诉我该怎么做。"

影子似乎听到了这些话，转身不见了。

爱丽莎瘫坐在床垫上，她准备好了，他们让她做什么她就做什么，她现在不是一个人孤军奋战了。

她把手伸了出去，床垫上方有块地方是湿的，挨着她睡下时的脸庞，爱丽莎笑了，她明白这把神奇的匕首了。三月的夜晚还很冷，这封信是用一把冰刀送进来的，屋内的暖气融化了这把匕首。

不远的地方，黑影溜到了过道下，避开所有闹哄哄的守卫，推开了东边蛋壳的门。进了门，进了明亮的屋子，莱奥·布吕刚把身上黑色的外衣脱掉，阿尔拜央就进来了。

"您传我？"

莱奥看着他的参谋，对他说道：

"可能您对了。"

"什么？"

"关于尼尔·阿芒的事情，可能您说得对，他不是我们这一边的。"

阿尔拜央的手握在了箭筒的护手上，说道：

"您知道，我并不因此而高兴，我情愿是自己错了。"

莱奥·布吕现在已经没有丝毫怀疑了。整个冬天，他都在偷听他们的谈话，听尼尔对爱丽莎讲述着那些奇怪的句子，但是他缺少证据。

这几个月下来，他终于想出了一个法子，他利用黑影装扮成是尼尔的一个朋友，这样他就可能获得一些证据，如果爱丽莎向这个影子求助的话，这就说明尼尔是他的敌人。

"等尼尔·阿芒下次再来的时候，"莱奥·布吕愤怒又激昂地说道，"我要让他再也不能活着走出这里！"

阿尔拜央对他行礼后，告退了。

可怜的尼尔，他的心还在欢快地跳舞，和着麦伊甜美的声音，麦伊刚刚对他说了"待会儿见"；可怜的尼尔，回到家的那一刻，还不知道他的头上至少悬了两把刀，悬了两张死刑判决书。

第 十 六 章

# 穿着绿色婚纱的新娘

"有个人带着他的女儿在外面,他想跟您谈谈。"

阿尔拜央知道不应该让人在这个时候来打扰莱奥·布吕,但是他知道这些重要的人物他同样得罪不起——乔·密西的亲戚。

"让他们出去。"莱奥说道。

"这是位玻璃制造业大老板,大家都有兴趣听他讲话。"

"他来干什么?"

"他自荐来帮助您。"

"帮助……"

莱奥轻轻地笑着,黑暗中挂着一张吊床,他就躺在上面,这三天来他着实没走出自己的房间。尼尔·阿芒事件让他陷入了深深的失望和极大的暴力欲望状态中,他曾经如此信任尼尔,甚至让他接近自己的爱丽莎,但是尼尔却玩弄了他。

"我去让他们进来,"阿尔拜央冒昧地说道,"我会告诉他们您很忙,时间很紧。"

莱奥没有回答,这是他同意的方式,他再一次陷入了自己的思考中。

几分钟过后,阿尔拜央领着两个相当另类的人物来到了东边的蛋壳中。

　　父亲是一位健壮的中年人,身形微胖,略呈圆形,穿着一件另一个时代的带花边襟饰的衬衣。他的头发向后梳,上面涂着苍蝇乳膏,因而油光发亮,甚至还泛着蓝色的光泽。白色的皮鞋也涂了清漆。他用一块印有点子花纹的大手绢揩拭着脸。看他这副打扮,就能猜出这是萤火虫饲养大业主中的一个暴发户,最近几年树梢地区禁止使用火,所以这些业主都暴富了起来。

　　他的女儿很难看,跟油光发亮、引人注目的父亲相比,她自然黯然失色。虽然她脸上没有任何表情,但让人看过之后绝对会留下过目不忘的印象。这是一株稻草人,年轻的、只有十四岁的稻草人,有人用许多蝴蝶结和彩带装饰着她,还给她穿上了带蕾丝花边的裙子。在她的脸上,除了茫然还是茫然。

　　"亲爱的先生,"来访者对着黑暗处说道,他猜想莱奥应该就在这暗处,"我来告诉您一个让人高兴的消息。"

　　莱奥慢慢地起身,此时,他缺少的就是好消息。

　　"请您原谅我的冒昧,"穿着白色鞋子的人低声说道,"但是我想我知道您现在有一些感情上的烦恼。"

　　这一次莱奥差点儿从吊床上跌落下来,从来没有人敢在他面前提起这件事。

　　"布吕先生,我来这儿是为了彻底解决您所有的烦恼。"

　　莱奥在努力驱赶自己要掐死这个傻瓜的念头。

　　"如果您按我说的去做的话,您明天就能完婚。您现在的处境非常可笑,这个地区的人都在嘲笑您……"

　　莱奥跳进了自己的鞋子。

　　"有一个非常简单的方子,"来访者平静地继续说,"我马上就给您……"

　　阿尔拜央站在门后听着,他知道这个结局肯定很糟糕,这点

他已经从莱奥的眼睛里看出来了。

"方子，"此人说道，"就在这里，您娶我的女儿，贝尼克。"

可怜的贝尼克，之所以说她可怜，是因为她真的让人过目不忘，她想行一个屈膝礼，但是右鞋跟却踩进了左边鞋子的丝结里，她倒了下去，甚至叫都没叫一下。

吉斯·阿尔藏赶紧去扶她。

"贝尼克宝贝儿，我的小心肝……"

他试图抓住她的衣领把她拎起来，但她总是还没站起来就又倒下去了。我们可以这么说吧：吉斯·阿尔藏在用一只粗麻布拖把扫一颗腾空飞扬的尘埃。

这几年，令人望而生畏的贝尼克已经改变了许多。曾经那个在冬伯尔槲寄生球监狱拿短棍敲犯人脑袋、直到把人敲昏过去的她，曾经那个谁弯下身子来抱她就咬谁鼻子的她，曾经那个一天到晚咀嚼自己藏在口袋里的脚指甲的她……她，可怕的她，已经变了，变得跟矮马一样麻木呆滞，而她的父亲，吉斯·阿尔藏仍在惋惜痛失从前的贝尼克。

冬伯尔监狱的火灾过后，吉斯·阿尔藏就离开了他经营多年的领地，投身萤火虫的饲养业，到如今，他已经是真正的玻璃工业的大老板了，但有一个麻烦一直困扰着他：怎样才能把他的女儿嫁给一个体面的人，一个有身份名望的人，一个令人尊敬的人。

吉斯手下有几十名雇员负责打理他的萤火虫，这其中只有一位工人自荐成为女婿候选人，他就是托尼·西尔诺，那位背叛了桑·罗尔奈斯教授的助理。一开始，他在乔·密西的手下工作，但很快就被丢了出来，因为他无法让教授供出巴拉伊娜的秘密，所以他来阿尔藏的工厂应聘，进而被录用了。

乍看第一眼，没有人不被这项养殖业迷住的：萤火虫的卵、幼虫以及成虫，都在发光发亮，参观者们进入这亮白的仓库时都会发出赞叹声，但很快，这赞叹声就会变成恐怖的尖叫声：萤火虫们用一种毒液堵住这些参观者，让他们不能动弹。

但是，工人们还是要按部就班地到仓库工作，所以他们的体质越来越差。

托尼·西尔诺变成了自己的亡魂，软绵绵的，跟贝尼克一样

一天到晚犯困,而贝尼克则是因为逗弄萤火虫的次数太多,身体变得特别差。他们的订婚只持续了一天半。

"怎么样?"吉斯·阿尔藏问道。

莱奥没有反应,吉斯却粗鲁又笨拙地坚持道:

"您不要再与三个光人和一个光头纠缠不清了!"

吉斯扑哧笑了出来,自从人们开始谈论莱奥的不幸时,这种表达已经成了流行语。三个光人和一个光头,这恰恰就是莱奥·布吕唯一的忧患。

莱奥·布吕朝吉斯·阿尔藏走了过来,停在他面前一动不动,然后把脑袋从左晃到右,像是在驱赶涌上心头的一种激动和紧张,最后,他在吉斯的耳边嘀咕了一下。

"什么?我没听到!"吉斯大声问道,这种亲密让他很兴奋。

莱奥闭上了眼,在他耳边又说了一遍。吉斯笑了,他以为自己听到的是"谢谢"。

"这很自然,能让你高兴我也很荣幸。"

"我说的是:'滚出去!'"

吉斯惊得目瞪口呆,撒手放开了女儿,他的女儿从某个时刻起就一直危险地倾斜着,很快,贝尼克又倒了下去,像一个瘫软的人。

阿尔拜央看到他的老板正在犯错误,即将做一件无法补救的事情,要知道,贝尼克可是乔·密西的教女,因此必须要阻止事态的发展。想到这儿,阿尔拜央对莱奥打了个手势提醒他,莱奥深深地吸了一口气,控制住了一时的冲动,这冲动已经使他的后颈发痒。莱奥步履缓慢地走出了屋子。

可怜的贝尼克正在看她肿胀的脚。

吉斯·阿尔藏张大着嘴,手指着门口,莱奥·布吕就是从这门

口消失的。

"他这是要去哪儿?"吉斯问道。

"激动,"阿尔拜央解释道,"激动……布吕先生被您的建议冲昏了头脑,激动得不行,给他一点时间……"

"您这么认为?"

"我们会通知您。"

"我女儿对他产生影响了?"

"最大的影响。"

"他动心了?"吉斯问道。

"为了动心,他会动心,阿尔藏先生,我陪您出去。"

吉斯抓住了他女儿的手。

"走吧,我的破布。"

吉斯·阿尔藏一直拖着贝尼克,到门边后谢别了阿尔拜央转身准备离开,就在这时,他撞上了一个匆匆忙忙进来的人。

刚进屋的人连忙卑躬屈膝地请求原谅。

吉斯睁大了双眼。

"地瓜?"

地瓜呆住了,他甚至连话都说不出来,这个世界上他唯一不想见的人就站在他的面前。

吉斯·阿尔藏转身对着阿尔拜央说道:

"您别告诉我您相信这个流氓……"

地瓜来到冬伯尔监狱,他给小贝尼克的教育建议……所有的这些记忆都是阿尔藏生命中最糟糕的时刻。自从有了这些不幸的遭遇,他的贝尼克再也不是以前的她了。

"您竟然跟这样一位坏蛋打交道,"吉斯指着地瓜对阿尔拜央说,"别相信他那些伟大的句子,我事先告诉您,如果我的小宝贝嫁来这里,迁入新居的话,我绝不要在这里看到这样一个无赖。"

吉斯扯着贝尼克的裙摆拉走了她,他的皮鞋在地板上踏得很响。

阿尔拜央用眼神质问着他的士兵,地瓜满脸通红,结结巴巴地说:

"我……我……我向您保证……我不明白他指的是什么……"

阿尔拜央把手放在了他的肩膀上,用非常宽容大度的口气对他说:

"当然,我没有任何理由听信这个人的话,亲爱的地瓜。"

地瓜终于缓过神来。

"谢谢,我还担心您……"

"您是无可厚非的,"阿尔拜央打断了他的话,"您用最细致的关照守护着我们的囚犯,但我从您这里知道了……"

"啊?"

"您一直说:'我们从来都不是很谨慎',您说得很对。"

地瓜微笑着向他告别。

"我不配跟您说话,委屈您了,阿尔拜央先生。"

自己的工作终于被人承认了,地瓜的眼里充满了泪水。他向连接梯过道走去时,阿尔拜央在身后补了一句:

"正因为我们从来都不是很谨慎……我要求您明晚之前离开这里。"

地瓜突然呆住了,但他没有转身,没有回头,他情愿有勇气从这连接梯上纵身跳下深渊。

爱丽莎没有听到地瓜进来的声音,她蹲在地上,手里拿着一张刚收到的小纸条,影子人又用冰刀匕首穿着这小纸条刺了进来。

"对莱奥说愿意。"

上面写的就这几个字。

"对莱奥说愿意。"

这几个字让她陷入了深深的伤感中,为了重获自由,她必须要走这条路吗?当然,她很早之前就想过这条路,屈服于莱奥,嫁给他,然后再找机会逃走,离开他,永远不回头。

但是,她的自尊和傲气一直驱逐着脑海里的这个念头。

"啊……是你啊……"她哽着嗓子说道。

"对,是我,"地瓜回答道,"我来向您告别。"

"你要走了……"

地瓜甚至无法回答这个问题,他从没想过自己如此眷恋这个女孩,他用衣袖揩拭着双眼。

"你什么时候走?"爱丽莎温柔地问道。

"明天。"

沉默,长长的沉默,我们能听到地瓜吸鼻子的声音,爱丽莎把纸卷入了手中,光明是如此的灰暗和伤心。

"这不是真的。"地瓜说道。

犯人和狱卒就像是两根年迈的树枝在告别。

爱丽莎的声音非常软弱、无力,她叫着他的名字:

"地瓜……"

地瓜挪了一步,靠近了她。

"我能不能请你帮最后一个忙?"


风声像是插上了翅膀在鸟巢间四处传播。

"不是的……"

"是的!"

"不是的……"

"他们刚刚跟我说的!"

"她?"

"对,她。"

"和他?"

这真是一个令人意想不到的消息。为了相信这一切都是真的,树梢上的居民四处宣扬。

"不是的……"

"是不是只是因为是我告诉你的?"

"和他?"

犯人终于让步了,爱丽莎要与莱奥·布吕结婚。

几个小时下来,没有人能逃脱疯狂的准备工作,婚礼第二天上午举行,也就是三月十五日。准备工作必须迅速,大家都非常担心准新娘会突然变卦。

是爱丽莎自己提出要成婚,要穿上绿色的婚纱举行婚礼,这是大树最纯洁的传统。

"至于其他的,你们想怎么做就怎么做。"爱丽莎对阿尔拜央说道。

阿尔拜央决定要把婚礼办得像模像样,当天他就发起了一场布置大战,要把第三颗用作树叶仓库的蛋壳装饰成婚礼会客厅。

他用金色的粉末粉刷了蛋壳内墙,在顶上吊了一盏球形水晶灯,里面闪烁着十几只萤火虫,最后,他邀请了一些宾客来参加明天的婚礼。阿尔拜央亲自出马,去说服大蜡主来主持婚礼仪式。

大蜡主对爱丽莎还怀恨在心,这个姑娘折磨过他好几回,但最终，他还是答应了，因为他明白，如果他拒绝的话，有人会毫不犹豫地撤销他的职务。

这其中只有一个人没有陷入准备工作的狂热中，这个人是莱奥·布吕。莱奥把自己关在屋里，躺在吊床上，随着吊床的节奏摇曳着自己的忧郁，这个大好消息只是让他变得更苍白。阿尔拜央看着陷入沉默中的莱奥，他不明白在大喜之日的前夜，莱奥怎么还会有这样一种消沉和沮丧。

但是莱奥知道，他知道爱丽莎为什么最终会答应他。

吉斯和贝尼克的造访过后，莱奥迫不及待地去了爱丽莎的屋子，他爬上了蛋壳顶。因为滥用了这姑娘对影子的信任，现在他决定下指令让她同意，也就是冰匕首尖头的那张便条。

爱丽莎听从了影子人的建议，而那影子人就是他——莱奥·布吕。

莱奥知道她要的只是自由，"同意"这两个字之间插不进半点相爱的痕迹。

爱丽莎只是想用"同意"二字撬开笼子的细缝，让它敞开大门，她好乘机溜出去，远走高飞。

莱奥蒙着羞，被耻辱压得疲惫不堪，所以在面对民众和自己时，才采用这种方式重新找回一点自信和自尊。吉斯·阿尔藏告诉他大家都在嘲笑他，这一点，莱奥无法忍受，他全部的人生都在为维护自己以及父亲的荣誉而战斗。

但是这场婚礼只是一个假象，只是遮人耳目，莱奥不可能意识不到他不得不把自己的妻子终身囚禁，直到他生命的尽头，他甚至对阿尔拜央下了密令，让他在第三颗蛋周围全副武装，加强戒备，以防新娘在婚礼仪式现场试图逃跑。

入夜了，爱丽莎听着屋外的人忙碌准备的声响。蛋与蛋之间

的通道已经加强了戒备,有人在换班,调整队伍。春天不远了,就只有几天了,但是这里依然在下雪。

爱丽莎看着挂在墙壁丝线上的绿色婚纱,傍晚时有人送过来的,还是新近上的色,她自己又把它漂洗了一遍,现在差不多干了。她端着一碗热水,一边慢慢地喝,一边听着蛋壳外雪水滑动的声音。

这种看似掩埋了所有不安迹象的平静从何而来?现在她的头发已经长长了,有了刘海儿,搭在眼睛上,她扎了两根大丝带,垂在脖子上,看起来就像她的辫子。

她确定第二天就能自由了。


一切都开始了,犹如这个世纪最美丽的婚礼。新娘的头纱光彩夺目,把她整个人盖在了里面。她一个人走出了屋子,门外有几十个士兵组成了仪仗队,这一刻,人们看到绿色的婚纱在抖动,新娘似乎很激动。

第三颗蛋里已经是宾朋满座。阿尔拜央让树梢地区的穷人们也来了,在那个时候,只要胡乱给碗汤,就能召集几百个群众演员,他们随时准备着,只要一声令下,他们就会一齐大呼:"好棒!"这些人来自那些陈旧的、被虫蛀了的树枝,有男人,有女人,还有小孩,成堆成堆地居住在那里,目光里都写着凄惨。他们被屋里华丽的水晶吊灯和人群中气宇轩昂的莱奥·布吕给迷住了。

莱奥穿着深色大胡蜂皮衣,站直着身子,但却像一个梦游者。

在他的内心深处,他知道,在这样一个大喜之日,他无法感受到一丁点儿的喜悦。这一切都是假的,甚至包括这些宾客,然而,爱丽莎将牵上他的手,他肯定会颤抖,他从来不曾触摸过她的肌肤，可能这位姑娘真的不存在，可能他的手可以随心所欲地穿过她的身体，停在她的肩膀上……

莱奥不再奢望能驯服这个幽灵，他只有一个愿望：把她留在自己的身边。至于哪一天她能爱上他，他真的不再抱有幻想了。

新娘就站在门口，大蜡主穿过人群走了过来，远远地对她行了一个客套礼。大蜡主手里拿着一炷带着胡椒味的香，口里念念有词，但是这些词一到莱奥的大脑里就变了形，莱奥无法相信爱丽莎终于来了，就在那里。这种状态持续了很久。

"莱奥·布吕，您是否愿意娶爱丽莎为妻？"

大蜡主的声音像是一阵呼噜声，莱奥没有回答。很远的地方，最后一排，阿尔拜央一直看着自己的老板，他感觉到有什么事情要发生了，没准儿是激情……

但是，这不是激情，这是极度的精神失常，迷乱，这是一种怀疑，一种巨大的、摸不着边的怀疑。莱奥的眼光定在身边的新娘身上，但他什么感觉也没有。

大蜡主咳嗽了一下，清了清嗓子，又说了一遍：

"莱奥·布吕，您是否愿意娶爱丽莎……"

人群一片惊愕，开始了窃窃私语，莱奥还是没有任何反应。

"布吕先生？布吕先生？"司仪问道。

突然，莱奥猛力地推开大蜡主，大步跨向爱丽莎，抓住面纱的一角，一把扯了下来，人群禁不住尖叫了起来。

这不是爱丽莎，这是地瓜！

爱丽莎光着脚丫在白色羽毛森林间不停地跑。

她在树枝间跳动，手臂伸开时感觉像是一对翅膀。爱丽莎陶醉在自由中。

在假新娘庄严地走出闺房大门后，她就从南边蛋屋里溜了

出来,巷子里没有一个人,所有人都去了婚礼的现场,她向着白色森林跑去。

当影子人指令她答应莱奥时,她立刻明白这指令不是出自一位朋友,但她还是决定利用这次机会。

爱丽莎惊叹地瓜的勇气,他只是对她说道:

"我没什么可失去的,明天,我将被置之门外。"

他的脸微微发红,垂着眼睛又补充一句:

"而且,我一直梦想有一场盛大的婚礼。"

所以,当爱丽莎为他盖上头纱时,地瓜没有不幸的神色,似乎只是集中心思在一件事情上——他仅仅要求能穿上自己的拖鞋。

"我要死在我的拖鞋里。"他说道,刚直得像一位勇士。

爱丽莎在鸟巢的过道里奔跑,她想起了地瓜的脸,想起了他合上面纱时的神情。这些记忆正在她的脑海里翻滚时,她看到路的转角处有两个身影向她走来。

她赶紧跳到一旁躲了起来,藏在白色绒毛丛后面。


看着眼前的这一幕,爱丽莎惊得目瞪口呆,她没想到,同时同地,除了她,竟然真的还有另外一位新娘,而这位新娘身后的那个人,爱丽莎一眼就认了出来——吉斯·阿尔藏。

"快点,贝尼克宝贝儿,你的新郎在等你。"

原来新娘是贝尼克。

当知道莱奥·布吕将举行婚礼时,吉斯·阿尔藏自认为自己的女儿就是新娘,所以,他非常自豪地领着女儿赶往婚礼的现场。

我们能听到他对女儿最后的一些忠告。

"你只能说'是'。"

"是。"贝尼克机械地说道。

"不是现在,你很清楚,我们全都彩排过,当有人问你结婚的问题时,你就说是。"

"是。"

"不是现在,不是。"

"不是。"贝尼克重复着他的话。

"不!你千万不要说不!"

"不。"

"是!"

"不。"

爱丽莎看着他们消失后赶紧上路，继续往前走。

事实上，可怜的贝尼克，没有任何人在等她，但是，吉斯·阿尔藏这个可悲的错误却为爱丽莎赢得了一些宝贵的时间。当第一批士兵开始搜寻逃犯时，他们很快就在白色森林里找到了这位丢失的"新娘"，很显然，他们把她当成了爱丽莎，他们毫不顾忌吉斯·阿尔藏的苦苦哀求，直接把她抓了起来。

当这三四个士兵得意洋洋地把贝尼克押送到莱奥·布吕面前时，他们立即从老板的眼睛里看出来：他们犯了一个不可饶恕的错误。

面前出现了一个黑洞，爱丽莎看着着它，地瓜告诉过她要从这里滑下去。在白色森林的尽头，鸟巢中间穿插着许多长长的麦秆，它们组成了许多隧道，就是这麦秆隧道能把她带到树枝上。

**爱丽莎的眼睛** 230

　　爱丽莎滑了下去。

　　她双手抱膝,伸直着腰,全速滑向隧道的深处。

　　终于,她可以离开了……

　　终于,她可以停止战斗或者说停止抵抗。

　　幸福没准儿就在这金色长廊的尽头。

　　虽然疯狂地希望某一天能与活着的托比重逢,但她首先想到的还是母亲的怀抱。

## 第十七章

# 最后一位光人

有人破门而入,响声如此之大,桑还以为宿舍要塌了。

黑暗中,美娅紧紧地抓着丈夫的手臂。

"出什么事了?"

"别动。"桑回答她。

穿着靴子的脚步声在床与床之间穿梭,一队举着火把的士兵进来了,他们掀开了被子,查看一张张囚犯的面孔,他们在找某个人。

突然,一团火出现在桑的面前。

"他在这里!"持火把的人大叫了一声,"桑·罗尔奈斯,快起来跟我走,你,一股烧焦的味道。"

"对,这是我的眉毛。"

"什么?"

"您能不能移开您的火把,您烧着了我的眉毛。"

"您的玩笑开不了多长时间了。"

士兵们抓着他的睡衣领子带走了他。

出门时,教授好不容易说出了一句话:"我想我忘记拿眼镜了,在我的枕头下……"

"闭上你的嘴,这样你就能看得更清楚!"

他们消失在震耳欲聋的嘈杂声中。

门被关上时,有人轻轻地说了几个字:

"我想他们已经发现了隧道。"

大家都知道隧道工程实际上已经竣工了,越狱计划准备在下个星期实施。

黑暗和寂静重新笼罩了宿舍。

美娅的头埋在手臂下,她真的受不了了。

如此的暴力,如此的愚昧,如此的恐惧。

美娅·罗尔奈斯觉得自己没有力气再继续坚持下去,又一次,他们从她的身边带走了她的丈夫。美娅把脸埋在陈旧的床单下,禁不住哭了起来,为了不让人听到,她尽力不哭出声,但热泪止不住地往外流。

这场战争持续的时间如此之久,他们的反抗一直如此的艰辛,而希望有时如此的渺茫……如果哪一天她的丈夫消失了的话,她该怎么办?她该依靠谁?火山坑里就将只剩下她孤零零的一个人了。

其他的犯人……美娅很爱他们,但是她怎么能依靠他们?

再者,在这痛苦的时刻,他们当中如果有人,哪怕只有一个人,站出来跟她说句话,安慰一下她,关心一下她,问候一下孤独的她?然而,他们都知道她靠什么而活着,这些人,这些男人,只不过是一些粗心大汉!他们哪里会知道细心,哪里会懂得体贴,懂得温柔……

美娅闭着眼哭了很久,一个小时过后,痛苦稍微减缓了一些,于是她翻了个身,叹了口气。

她花了好几秒钟才看清围在她床边的人。

宿舍里其他三十个人都围在她的身边。桑刚刚被带走,他们一个接着一个都来了,睡在她上铺的卢堂探出了脑袋,还有隔壁的老罗尔丹,所有人都肩并肩地守候了她一个小时。

对,他们是很糊涂、很笨拙,他们不知道该说些什么,该做些什么,但他们都来了。

泽福·克拉哈克说话了:

"如果您需要什么。"

美娅笑了,非常温柔甜美,这是真正欣慰的微笑。

他们都在这儿,都在她的身边,美娅说道:

"谢谢……你们真的太好了。"

三十个老顽童各自回到了自己的铺位。


桑·罗尔奈斯发现他们把他带到教室时,心里不由得一紧,他们已经发现了隧道,这一次,他真的不知道该怎么脱身了。

乔·密西坐在他的讲台上,脖子上围着一块餐巾,他在用餐。

教授从没见过乔·密西用餐,头一回有这样的体验,应该很不错。

乔·密西餐巾上的食物比餐盘里的多,但是,他膝盖上和教室天花板上的更多,为了不被酱汁溅到,利莫尔和托尔内远远地站着。桑轻松了下来,即使没有眼镜,他也发现隧道的门并没有被打开。

有人把教授扔在一张椅子上。

"好了。"此人笑着说道。

说话的人就是利莫尔,他继续说:

"伟大的邻居厌烦了您的故事。"

"我看这没影响他的胃口啊。"桑回答道。

"住嘴!"托尔内大叫了一声。

为了附和这一声,一位穿着靴子的士兵朝着教授的椅子踢了一脚。

"住嘴!"托尔内又说了一遍。

利莫尔接过话:

"您说您在公布巴拉伊娜秘密之前需要时间,您对我们说您需要继续研究,直到……"

"春分。"桑·罗尔奈斯补充道。

"什么?"

"春分。"

"我们不管你什么分!"

"就是三月二十日……三月二十日就是春分。"

"住嘴!"托尔内又叫了起来,"没人问你任何问题!"

一滴油溅到了利莫尔的脸上,他先是抬头望了望天花板,看是否下雨了,但是很显然,这是乔·密西在嚼肉。

利莫尔咳嗽了一下,继续解释道:

"伟大的邻居很不耐烦了,但是,伟大的邻居不是傻子。"

　　桑一脸惊愕,像是有人告诉了他一个闻所未闻的消息,"真的吗?"他问道。

　　"住嘴!"还是托尔内在叫。

　　"您能向我保证您一直在努力研究巴拉伊娜计划?"

　　"这一点我向您保证。"桑回答着。

　　"那这个?这是什么?"

　　利莫尔捡起了一个装满纸张的盒子,把里面的资料全倒在教授的膝盖上。教授把鼻子贴了上去看个究竟,因为不戴眼镜,他的视力非常差。所有的纸上都只有同样的一个画面:一棵树。

　　"罗尔奈斯先生,我们搜遍了您的实验室,里面全是这些纸张,没有任何有关您研究巴拉伊娜的蛛丝马迹。"

　　教授和蔼地笑着说:

　　"我说的是三月二十日,如果那一天我给不了你们这个秘密

的话，你们想怎么处置我都行，但那一天没到之前，我想你们无法评价我的工作。请把这些资料送还我的实验室。"

密西伸出了他那脏兮兮的手，有人递给了他一沓画纸，他一边吮吸着一只甲壳，一边慢慢看，淡绿色的酱汁从他的手指间流了出来，浸到纸上。

桑激动得不行，他们正在玷污的，可是他这几个月的心血。来到火山坑后，他就迷上了一项研究，这些画就是研究成果。

这一切源于他的眼镜片的裂纹，他不小心把眼镜掉在地上，玻璃片的裂纹像是一棵树，桑很仔细地画了下来。第二天，下了雷阵雨，桑发现闪电也呈现出树的形状，树！树！到处都是树！日子一天一天过去，桑观察了溪水的流动、冬天水坑里的冰纹、自己手臂上的血管，以及树叶上的纹路，到处都是树的模样。

他的研究还在继续，他不知道这个发现到底会走向何方，但他收集了所有的样本。

而且，在这火山坑里，正是这些伟大的资料让他活下去，成了他的秘密花园。

乔·密西一扬手，整沓画纸撒了满屋子。桑起身去收拾，一位士兵把他按回了椅子上。

密西取下了餐巾，擦了擦脸，酱汁涂得满脸都是，连头发上都有，但他似乎很高兴。

"教授，您不要忘记您还有一位妻子，"利莫尔说道，"如果她遭受了什么不幸的话，真的很可惜。请您认真工作吧，我们要的是结果。"

破晓之前，桑回到了宿舍，他的手里拿着一沓油腻腻的纸。美娅把他抱在怀里。

"没事了，好了。"桑说着，非常感动。

"他们想干什么？"

"他们想知道我怎样让你开心。"

"然后呢？"

"我告诉他们我不知道。"

美娅苦笑了一下，桑认为是时候跟她谈起托比了。

"美娅，一般情况下我证明不了的事情会只字不提，这一次，我要说一件事，这件事我没有任何把握，实际上也没有任何迹象，但是我相信托比还活着，我想他离我们很近。"

美娅一个字都说不出来，桑继续压低着声音说：

"我之所以跟你说，是因为这个希望给了我很大的支撑。"

美娅回答道：

"我记得普朗·托尔奈曾经想跟我说起托比，那是好几个星期前的事情了，他看到了什么东西，我当时不敢相信，但是如果你也说……"

事实上，普朗通过手势已经尝试着跟美娅讲述他已经见到托比了，就在猎蚂蟥时见到的。

现在，桑和美娅背贴着背睡着。

晨曦里，我们听到了隔着两个床位的老罗尔丹的声音：

"教授，明天我就一百零三岁了。"

"我知道，阿尔贝。"

这几个星期里，老议员罗尔丹显得非常疲惫，他总是不停地跟人说他不确定能否熬到一百零三岁。

"我们会为您庆祝生日的，"桑说道，"美娅将为您准备她的白色塔饼。"

罗尔丹很熟悉美娅做的白色塔饼，但同时他也知道，在乔·

密西的火山坑里,人们再也不做白色塔饼了,就如同在苍蝇屎里写不出诗歌来一样。

美娅想纠正自己丈夫的话:

"我等下就给您做,阿尔贝先生。"

"明天!"桑重复了一遍,"他的生日是明天。"

美娅用手肘打了一下丈夫,桑却起床了,他站到宿舍的中央说道:

"朋友们,明晚我们就在外面了,你们要准备了,我们今晚就离开。"

在火山坑另一端光人的宿舍里,大家也都度过了一个不眠之夜。深夜一点钟的时候,监狱里多了两名俘虏,两名光人终于来到了这里。

他们是在隆冬时节离开草丛的,他们穿越了所有的障碍,却还是在下雪的夜晚被抓了。那天深夜,他们踏着雪橇从一棵树枝上滑下来时,被乔·密西的人逮了个正着,为了逮捕一些可疑的人和捕捉一些小飞虫,这些人在夜间布置了天罗地网。

所以他们抓住了

这两位光人。

冰冷的屋子里腾出了他们俩的位置,就这样,他们俩跟其他的囚犯住在了一起。两个人都已经精疲力竭了。

"为什么你们要来到这里?"嘉浪的声音非常严肃,质问着他们。

他很不高兴,嘉浪,他不喜欢草莽英雄。

"我们这也是没有办法。"其中一个人说道。

月亮头夹在米伽和列福之间,他们仨都看着这俩新来的在想,他们哪里知道最糟糕的事情莫过于来到这火山坑,草原上的人们称之为"自投虱子口"。

这几个月来,月亮头一直忍受着一个叫老虎的士兵的折磨,老虎想让他开口说出托比的事,他总是背着其他士兵偷偷询问他,所以,月亮头成了唯一知道小树人真实名字的人。

因为不会撒谎,月亮头不得不说实话,但是他找到了一个很好的方法,既是在说实话,也没有背叛他的朋友,他总是说"我从没见过一个叫托比的人"或者"我们当中没有人叫这样的名字"。折腾了好几次之后,老虎差点用铁叉刺穿了他,但是不管怎样,他还是不想让他唯一的证人消失。

"大冬天里走出来,"嘉浪继续说道,"你们只有死路一条!"

"我们也没指望活着。"第二位光人说道。

"我们没有选择。"另一个人又补充了一句。

月亮头问道:

"你们来这干什么?"

"下第一场雪的时候,有人离开了草原,我们来这里找人。"

"找谁?"还是月亮头在问。

"胡来!"这是嘉浪的声音,"绝对不能离开草原。"

"你们在找谁?"月亮头又问了一遍。

两个新来的囚犯先是你看看我、我看看你,接着一起把头转向了月亮头。

"你的姐姐:伊莱娅。"

所有的人都不说话了。

"我们大家都不明白她为什么要离开草原。"

月亮头回想起了白皑皑的雪地,树皮峰峦,让人眩晕的树干,以及所有其他的一切,姐姐伊莱娅能够独自一人穿过所有的障碍吗?

来的人解释说:

"我们之前还看到她到过这附近,就在三天前,当我想跟她谈谈时,她差点杀了我。我不知道她出了什么事,也不知道她到底想干什么。"

"你的姐姐,"另外一个光人补充说道,"现在身上充满了暴力倾向,自从你离开后……也自从小树人离开后……"

月亮头回想起姐姐,一个年轻的姑娘,比他大几岁,教会了他整个世界,既是他的母亲,也是他的父亲,是他全部的家人。他想起了她的歌声,冬日里在他们的草穗屋子里悠扬,所有的这些温柔都到哪里去了呢?她来大树上做什么呢?

"他们会抓住她的。"月亮头说道。

一阵沉默。

"她已经被抓了,小弟弟,我们仨是同时被抓的,因为她的反抗非常强烈,人们把她关在稍微高处的屋子里,来的时候,我们还听到她在大喊大叫。"

"我姐姐已经在这里了?"月亮头嘀咕着。

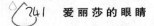

这天傍晚，火山坑上端的教室里，三十个学生在等待着他们越狱时刻的到来。寂静笼罩着屋子，所有人都做好了出发的准备，他们的黄色睡衣下裹着保暖内衣，书包里背着储备的食物，罗尔丹的手在微微地颤抖。

因为大家都觉得无法让课堂气氛活跃起来，所以泽福·克拉哈克就毛遂自荐来讲课。大家都很惊讶地看着他，事实上，泽福什么也不会干，他总是一名差生，他的公证生涯之所以能成功也只是出于偶然。

人群中有人建议他讲一节烹饪课，或是讲一节针线课，不然背背乘法口诀表也行，但是泽福推辞说这些他都不会。

最终，是美娅启发了他，给了他一个很好的建议。

泽福·克拉哈克，整棵大树上最丑的一个人，树梢上的丑八怪，开始了他的演讲，主题就是"内在美"。

除了美娅，没有人知道他讲的是什么，因为大家都没在听，所有人都竖着耳朵在数窗外来回走动的脚步声。

泽福对着一群牛弹琴，他甚至忘记了他们要越狱，他简明地讲述着自己的童年：出生的那天，因为发育不完整而吓晕了接生婆，从此他就变成了不成形的小泽福，但是这位丑陋的、让人生厌的小孩一天天在成长，一天天在让自己的内在美大放光芒……

美娅觉得这一切美极了。

终于，桑给出了离开的信号，他匍匐在地，向着活动门爬了过去。

就在这时，教室门轻轻地开了，泽福突然停止了演讲，桑就势迅速躺在地板上，他听出有脚步声向他走了过来，接着泽福轻

声地说道：

"教授在小憩。"

"那我等他。"教授头顶上的声音很粗。

这是米奴娅卡。

她默不作声地待了一会儿，离教授很近。泽福继续着他的讲座，米奴娅卡认真地听着，她入了迷，内在美，她从来没听说过。

当桑意识到她不打算马上离开时，便伸了一个懒腰，哈欠连连地起来了。

"光人队伍里又来了一个人，"女兵说道，"我们需要您。"

"还有啊？"教授很吃惊，这天上午已经来了两个了。

"您得去看看……"

桑从未错过这样的对质，每来一位光人，都要在他面前亮一次相。他耸了耸肩膀,决定快去快回,米奴娅卡则不情愿地跟在后面,她渴望能继续听泽福·克拉哈克讲下去。

"我很快就回来,"教授走到门口时回头说道,"按原计划进行。"

这些大龄学生都长长地叹了一口气,罗尔丹抖得更厉害了,再过两个小时,他就一百零三岁了。

桑进了一间小屋子,米奴娅卡没有跟进来,他一个人待着,等待最后一位光人的到来。他没想到还会有单个俘虏,他们很少抓单个的光人,通常都是一队一队的。

桑等了好几分钟之后开始不耐烦,脑子里再次琢磨着他的越狱计划:天大概在七点钟时亮起来,那么即使他们在午夜逃离,也将会在黑暗中摸索几个小时,这几个小时已经足够让他们找到一个安全的地方,实施"自由行动"的第二步。三十个老人在戒备森严的情况下一起越狱,这是一个荒诞的冒险,但是桑知道他们能成功。

已经没有什么能阻止他们了。

有人推着一位光人进来,屋子里没有点灯,能看清的,只有他脚底板上蓝色的线条。

"你认识这老头儿吗?"士兵问道。

黑暗中,桑的眼镜片在闪光。死一般的沉默。两位士兵面对面地看着,他们已经适应了黑暗。桑的眼皮开始跳动。光人没有任何表情变化,但最后,他回答道:

"不,我不认识他。"

桑面色苍白地回到了教室。他坐在自己的小椅子上,贴着妻子的耳朵轻轻地说了一句话,这回轮到美娅面色苍白了,但接着她微笑着把头靠在桑的肩膀上。这一刻,桑在享受肩头这幸福的重量,他觉得希望终于来了,踏着天鹅的舞步来到了他的生命中。

泽福还在继续他的演讲,尽管已经没有一个人在听。

桑的身子朝着站在他前面的人靠了过去,对他低声说了几句话,这些话便一个接一个地在教室里传开了,最后,传到了泽福·克拉哈克的耳朵里:

"桑和美娅不走了,因为刚被捕的那个光人小伙子,桑听出了他的声音,他说是托比·罗尔奈斯。"

美娅的眼睛里重新燃起了一团小小的火苗。

桑的眼睛一直盯着老罗尔丹,他想让他理解自己是多么的抱歉,但是在他的内心深处,他高兴得哭了起来。

阿贝尔·罗尔丹用手捋着胡子,接着在一片树叶上写了几个字。树叶在队伍中传递,最终到了桑和美娅的手中。

"有些离开可以等待,没有你们,我们不会离开——阿贝尔·罗尔丹。"

又是一阵沉默,接着,美娅唱起了生日歌,其他人围着罗尔丹也合唱了起来。离开只不过是推迟了,他们要和美娅、桑,还有托比一起离开这里。

几个士兵闯了进来,制止了他们的歌唱。

歌声停下来了,这对老罗尔丹来说,差不多也是一种放松。

只有他自己知道,一个一百零三岁的老人,不得不担心另外一个神圣而伟大的离开,神圣到没有任何剧情变化可以延缓它。

## 第十八章

# 逃亡者

爱丽莎觉得有股热心肠的风在撑着她的背,推着她穿越一根根树枝。经历过稻草管金色走廊里巨大的下滑过程之后,她来到了树梢地区一个开裂的树丫上,很快,她就进入了地衣林。

春天只是初露端倪,寒冷和雪花还在抵抗,但爱丽莎并没有因此停下脚步。

一路上,偶尔也会碰上几个流浪汉漂泊的身影,但这些人大都不会注意到她,她绕开了一些看起来像是一片荒漠的让人伤感的城市,但在城郊,她发现有人一家子都躲在树窟窿里,看着她经过。爱丽莎加快了脚步,她急于走到更低的树枝上去,那儿至少还有一点大自然的气息,至少还有一些纯净的地方。

她唯一允许自己停下来的地方,是在她观察一只蠼螋①守护自己宝贝蛋的时候。这肯定是一只母的,因为她们的丈夫从来不会在冬天里出来。爱丽莎熟悉这种关爱,熟悉这种母亲对幼子的舐犊情深。

---

①蠼螋与人类关系不很密切,少数种类危害花卉、贮粮、贮藏果品、家蚕及新鲜昆虫标本,属于革翅目,一般喜夜间活动,白天常隐藏在土壤、石块、枯枝、垃圾下。雌蠼螋会护卵如母鸡,有时还会捕捉小虫喂食若虫,直到若虫成长后才离开,在昆虫世界里算得上是爱心妈妈。

有一年春天,那是她还住在巴斯-布翰希的时候,她看到过家附近一窝螳螂若虫长大的过程。每天,伊莎都会给它们一些食物。那时她还很小,总是抓着妈妈的裙子躲在她身后,因为她害怕螳螂那危险的钩爪。

慢慢的,伊莎教会了女儿无须害怕,并且把一种世界通用的知识传递给了她。这种知识很简单,无须语言,每天只要一些动作就能表达,爱丽莎认为如果能加上一些词语的话会更好,但是她知道,信赖和亲切已经是最好的礼物了。

现在,爱丽莎很想再看到自己的母亲,因此,她必须跨入巴斯-布翰希的大门,回到塞多尔农庄,回到她离开母亲的地方。伊莎肯定还在那里,跟阿塞尔多赫一家人住在一起。

她没日没夜地直奔巴斯-布翰希,她知道托比也曾经这么走过,就在他的父母落入乔·密西的魔爪之后,她觉得自己似乎是在追寻托比的足迹,追寻他那未干的足迹。


整个冬天,爱丽莎都是靠着尼尔·阿芒的探望活着。

仪式总是一样,首先是阿尔拜央进来,告诉她尼尔来了:

"您的访客来了。"

阿尔拜央还是很不信任他,每次离开之前都会恶狠狠地瞪一眼尼尔,这一眼却增强了爱丽莎对年轻的伐木匠首领的信任。

最初的几分钟里,访客总是在讲他小小的说教课,讲莱奥·布吕是多么的刚正不阿;讲他在对抗杀父仇人——光人民族时,是多么的英勇威猛,但是,爱丽莎几乎都不听。尼尔曾经说道:

"我也一样,很长时间我都错看了莱奥·布吕,但是只要伸出你的手……你应该给他机会……"

每一次,爱丽莎都在等待尼尔转变的时刻,等待他用秘密语言开始说话的时刻,这是记忆的语言,柔和、温暖,无须真正地身临其境……

比如有一次,尼尔说道:

"那时,你被囚禁着,隆冬里你孤身一人,你用所有的记忆粉刷了岩洞,但你依旧孤独。有人来找你,有人用手挖开了堵在出口的冰凌,有人和你一起在树枝上跳舞,就在那无边无际的湖边。"

尼尔的话题常常会回到湖边,每每这时,爱丽莎听到的似乎是托比的声音,但是她抗拒着自己转过身来的欲望,依然背对着尼尔。可是,闭着的双眼里,全是托比的影子。

深夜,爱丽莎来到乔·密西的火山坑的上端时,已经非常疲惫了。但她知道这个地区很危险,一刻都不能停留,后面肯定有人在追她,她必须赶在逃亡消息散布之前到达目的地。

爱丽莎继续前进。

疲惫已经蔓延了她全身,她的脚步越来越深浅不知。她用尽了全身的力气在天亮之前远离了这个地区。清晨时,她的脑袋开始晃悠,终于双膝跪地,滚到了树窟窿里。

爱丽莎失去了意识。

几个小时之后,她被一阵奇怪的踏步声惊醒,发现天已经大亮了。爱丽莎用肘支起身子朝下方最近的小路望去,看看是谁从那儿经过。

这是一队野蚂蚁。

它们走得很慢,一起推着一个跟她一般大小的东西。

爱丽莎认出那是一只陷阱笼子。为了捕获蚜虫,猎人们常常在苔藓林子的隐蔽处埋伏着这种笼子，圆圆的，像一个球。安放的时候笼子门是敞开着的，当有动物冒险闯进去时，笼子的两扇门会自动合上。

蚂蚁们偷了这个笼子，包括被关在里面的虫子。它们要把笼子运回家，再撬开门，然后和其他姐妹一起分享赃物。

对于这些红色的蚂蚁，爱丽莎从来没什么好感，它们会先咬你，然后把你整个吞食掉，这是大树上真正让她害怕的、为数不多的昆虫之一。

因此，当她看到笼子卡在一个树疙瘩上时，她决定缩回到自己的窟窿里，不去过问那里的一切。蚂蚁之间起了一阵不安的骚动，它们在琢磨着如何让笼子动起来，它们用触角轻轻地戳刺着对方，以自己固有的这种交流方式讨论着。

出于好奇，爱丽莎又探出了头。

这一次，她用手捂住了嘴才没叫出声来，然后立即转身回到了洞里。眼前所看到的，让她的心脏加速跳动了起来。

被关在笼子里的猎物，不是一只臭虫，不是一只蚜虫，也不是一只小小的金龟子，而是一个女孩，一个十四岁的女孩，她惊恐不安的大眼睛与爱丽莎的眼睛撞到了一起。

蚂蚁们还是没有办法推动车辙，我们能听到它们不耐烦的唧唧喳喳声。爱丽莎不再犹豫了，她从洞里跳了出来，在红蚁群中跑动。还没等它们反应过来，她已经爬到了笼子顶上，手里拿着一根棍棒，向四面八方挥舞。

被囚禁的年轻女孩只是看着她，没做出任何反应。

"我来帮你。"爱丽莎大叫着。

两只蚂蚁已经围了过来，开始攀爬笼子的栅栏条，爱丽莎尖叫着，给了第一只蚂蚁当头一棒，这只蚂蚁很快滚落到树皮上。

接着,她狠狠地踢了另外一只蚂蚁一脚,这只蚂蚁把另外两只蚂蚁也一起卷了下去。

笼子里的俘虏还是一动不动,她躲在笼子里面,比起站在上面冒着生命危险解救她的女子,更安全些。

爱丽莎的棍子连空气都搅动了起来,但是蚂蚁越来越多,它们毫不留情地向着这位女战士进军,爱丽莎刚砸下去两个,另外四个又卷土重来了。

奋战了几分钟之后,爱丽莎明白自己坚持不了多久了。又一棍砸了下去,但这最后一棍砸在了两只蚂蚁之间的木栅栏上,棍子碎裂了。现在,她手无寸铁,筋疲力尽。望着身边这群红皮肤的敌军,她无能为力。爱丽莎抬头仰望天空。

她想到了自己的父亲。

以前,爱丽莎从不敢去想自己的父亲叫什么名字,不敢去想父亲的音容笑貌,但这一次,她似乎第一次听到了父亲的笑声在

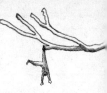

记忆的长廊里回荡,这笑声是如此的温柔,如此的慈祥。

对于自己的父亲,爱丽莎一无所知,从来没有人对她说起过他。

听着父亲爽朗的笑声,爱丽莎以为自己已经到了世界的另一端。

爱丽莎的头一直往后仰着,睁开的双眼突然看到一团绿色的东西从天而降,向她扑了过来,她听到刀剑在空气中挥舞的声音。这团东西轻轻擦过她的身体,扑在一只蚂蚁身上,并且抓起这只蚂蚁,一刀下去,把它砍成了两截;另一边,又一只蚂蚁的头被砍了下来,没有哪只蚂蚁能逃脱这股绿色的、巨大的、把它们一个个消灭的力量。

接下来的战斗里,红蚁们开始四处逃窜。

这是一只螳螂。

所有昆虫里最冷静、最暴力的动物。

一只螳螂可以吃掉一整只身形跟它一般大小的动物,也不管它是什么种类。它伸出巨大的爪子抓住了逃跑者,从腹部把它们切断了,然后把猎物放进自己的嘴里。紧接着,它的后爪子也伸了出去,这一招推动了笼子。

爱丽莎紧紧地抓着栅栏条。

螳螂的头在脖子上晃悠了一圈后才明白笼子正在斜坡上下滑,它放开了手中的蚂蚁,挥出一只钳子抓住了笼子,提到自己眯着的眼睛跟前。笼子里面的俘虏已经失去了意识,但是爱丽莎很清醒,她一直紧紧地抓着栅栏条。

螳螂扯断了几根栅栏条,爱丽莎趁机溜了进去。这畜生盯着笼子里的两位姑娘看了很久,之后把笼子放到了地面上。就在这时,它绿色的身体一阵抽搐,触角和后爪都倒了下去,腹部朝天,死了。

爱丽莎一动不动地看了很久,这只螳螂忘记了冬天的存在,经历了几个月的风雪之后幸存了下来,这是一种大自然的反常。它躲在某处,窥视着那宝贵的猎物。它救了两个年轻姑娘的命,却碰都没碰她们俩一下就倒下去了。

大自然的神奇让爱丽莎重新找回了信心。

她把俘虏一动不动的身躯从笼子里拉了出来,给她盖上地瓜的大衣。女孩长长的头发垂在肩头,上面涂满泥浆。爱丽莎知道这是一位光人,她能看到她脚底板上隐约的蓝色线条。

除了伊莎,她的母亲,这是她第一次见到一个自己部落里的人。终于,女孩睁开了眼,爱丽莎打量着她。

"我陪你一会儿。"爱丽莎边说,边把手放到了她的额头上。

那女孩一把扯过大衣,把脸遮了起来。

爱丽莎起身去找水。

回来后,她蹲在大衣边上问:

"你要不要喝水?"

没有回答,爱丽莎从衣领处掀开大衣。

姑娘不见了。

爱丽莎环视了一下四周,地衣林没有一点动静,安静得叫人害怕。这女孩是从哪里来的?怎么又幽灵般突然人间蒸发了?

"回来!"爱丽莎对着眼前空荡荡的黑夜大叫了一声。

就在这时,她听出身后的矮树丛里有声响,就走了过去。

爱丽莎发现几百只忙忙碌碌的蚂蚁回到了螳螂的尸体上,开始吞食它。这些畜生,总会是最后的大赢家。

爱丽莎浑身发冷,她披上大衣,倒退着离开这里。

"这女孩自由不了多久了。"跑起来的时候,她想到了这句

话。

的确，伊莱娅第二天就被乔·密西手下的一队人给逮住了。


爱丽莎来到了塞多尔农庄附近。

天还没亮，但霞光开始在她的四周蔓延。

走进巴斯-布翰希的大门，对爱丽莎来说，就意味着一种莫大的激动和一股熟悉的味道。清冷唤醒了她童年所有的芬芳，有树叶汤药的气味，初春的气息，还有那木柴燃烧的味道，这些气味都在拉长着她对冬天的记忆。

爱丽莎很清楚自己要干什么，也明白计划的危险性，但她别无选择。农庄看守得如此森严，以至于她根本不可能偷偷摸摸地潜入其中救出母亲。

因此，她必须大张旗鼓地走进去，孤注一掷。

地瓜的大衣是两面穿的，于是，她把黑黄相间的毛皮里子穿到了外面，再配上一顶女士风帽，这样一来，她看起来就是一位贵夫人。爱丽莎用手指轻轻弹掉眼圈周围的黑色灰尘。

爱丽莎朝着第一个哨岗走了过去，深深地吸了一口气之后，她便投入了冒险行为中。


"该死的家伙，我要把你们都丢出去喂鸟！"爱丽莎大叫着，"我的那群傻瓜轿夫都死哪儿去了？"

两位士兵听到爱丽莎叫骂着走了过来，感到不知所措。她一直在大声叫骂，辱骂着她那断了跟的鞋子，说早该把它们丢掉了。

"一群椋鸟，一群鹪鹩，一群朱顶雀！……"

所有鸟的名字都在地衣林里回荡。终于，爱丽莎看到那两位

士兵走向前来,于是,她冲着他们大叫道:

"你们也不是什么好东西,什么也不能为我做,一群无能的家伙,我要见你们的头儿!"

两位士兵吓得惴惴不安,赶紧上前脱帽致敬。

"我……我们……我们看看能为您做点什么……"

"还不按我说的话去做!"爱丽莎大叫着。

其中一位士兵用肘碰了碰另一位士兵。

"你见过她吗?"

"没有……"

"这是上头的那位小女囚。"

"真的吗?"

"我认识她,布吕先生来找她的时候,我就在这儿。"

犹豫了片刻之后,他们俩朝爱丽莎扑了过来,每人反扣着她的一只胳膊,把她带走了。

爱丽莎不喊也不闹了,仅仅在嘴角显现出一丝令人不安的笑容,谁能想到这正是她所期待的。

塞多尔农庄很快就醒过来了,有人已经通知了驻军头领伽赫克。

爱丽莎用眼角的余光观察着农庄,屋子现在已经废弃了,似乎很久没人住了。为了掩饰内心的慌乱不安,她竖起了皮大衣的领子。阿塞尔多赫一家人能到哪儿去呢?尤其是伊莎·李,她去哪里了呢?

伽赫克搓着手出现在院子里。自从阿塞尔多赫一家人逃走之后,给他带来了许多麻烦,现在,他在想方设法改善自己与密西、布吕之间的关系,要是能抓住莱奥·布吕逃走的未婚妻的话,这就意味着是一个绝好的机会。

"我真没想到您已经越狱了啊。"伽赫克咯咯地笑着说。

"我也没想到。"爱丽莎的回答很干脆。

"人们跟我说您最终还是决定嫁给布吕先生。"

"我看也是。"

"那么,为什么这两位士兵像押犯人一样押着您?"

爱丽莎的嘴角又露出了一丝笑,她耸了耸肩膀说道:

"这也正是我想问您的,先生……什么先生来着?"

"伽赫克。"

爱丽莎把手指伸到了他的眼皮底下,让他行吻手礼。

"很荣幸见到您,噶赫克先生,莱奥·布吕常常提起您。"

这一刻,伽赫克既因受到恭维而得意,又不知所措。这个年轻的女子看起来是在开玩笑,她已经改变了许多,眼前的她,就像是一位傲慢、任性的公主。

"我要把您带给莱奥·布吕。"他不敢碰这伸直的手。

"他会很高兴见到您的,他一直想找个机会砍掉您的头……"

"什么?"

伽赫克差点儿说不出话来了,爱丽莎解释道:

"我想我可不会怜惜您的脑袋,当莱奥知道您是怎样对待我的……"

爱丽莎用手指轻轻地掸掉毛皮大衣上的灰尘,缓了一小会儿,接着说完了她的后半句:

"当他知道您是怎样对待爱丽莎·布吕太太时。"

两位押着她的士兵睁大眼睛看着他们的头领,难道是……

"我知道,您没来参加我们的婚礼,莱奥已经很不舒服了,噶赫克先生……"

"是伽赫克。"伽赫克纠正了她,他的牙已经开始咯吱咯吱地发抖。

"对,是伽赫克……请原谅,我本应该记住您的名字的,莱奥常常说有一个叫伽赫克的家伙这个冬天还让他活着……"

"您,您是……您就是布吕夫人?"

"我想我的丈夫还没到。"

"不,夫人。"

"真可惜,您能不能命令您的士兵放开我的毛皮大衣?"

"放开她!"伽赫克声音颤抖着,差不多要哭了,"我是真的……完完全全……绝对……我……"

"用不着找借口了,我的孩子,您还不如告诉我,你们当中谁还算有脑子……"

"有什么?"

"脑子。我有一个很重要的问题要问,但我不是随便找个人就问的。"

"没准儿……我可以……"

爱丽莎笑了起来,伽赫克尽力赔着傻笑。爱丽莎停住了笑,说道:

"您?"

她笑得更厉害了。

"您在开玩笑吧?"

伽赫克满脸通红,他从没见过如此蛮横无理的人。

"不管怎么样,我们还是尽力试一试吧。"爱丽莎最后说了出来,"噶赫克先生,您知不知道以前住在这里的人到哪里去了?"

伽赫克浑身神经质地抽搐起来,眼珠子像两只暧昧的苍蝇一样打斗着,他结结巴巴地说道:

"这些人处处,布里太太……我……我……我是想说……这些人出去了,布吕太太。"

"啊,是吗?一个不留?"

"不……最后……"

"什么?"

"可能还剩下一个小的。"

"一个小的?"

"这个小的做了错事。"

"他在哪里?"

"在我的地窖里。"

"带我去看!"

"可能不好看,我已经……已经……把他给忘了。"

伽赫克领着爱丽莎来到地窖,他们花了好长时间才找到钥匙,这扇门已经有好几个月没开了。

"给我把这门砸了!"爱丽莎命令着。

当他们把莫·阿塞尔多赫放出来时,他甚至都害怕见阳光。这家人逃跑之后,伽赫克就一直把他关在地窖里。莫吃着地窖里存储的食物,还以为这辈子再也出不来了。刚刚他听出了爱丽莎的声音,但他实在太虚弱了,做不出任何举动。听到爱丽莎在发号施令,他更加弄不明白了。

莫被放到了一条像软垫长凳一样的东西上,他感受到了迎面而来的清新的空气,还有那大森林的味道。

有人用雪橇带走了他。

莫·阿塞尔多赫直到第二天早晨才醒过来,他盖着被子躺在一辆羽毛雪橇上,爱丽莎大大的眼睛正俯视着他。

在塞多尔农庄,爱丽莎对伽赫克承诺,对于他的这个不朽的大错,她一个字都不会跟莱奥提起。

"真的吗?"伽赫克哀求着。

"我只有一个条件,噶赫克先生,请让我带着他转一圈。"

现在,蓝蓝的天空白云朵朵,他们停在一块雪白的空地上,爱丽莎在喂他喝水。

莫终于能开口说话了:

"我们这是去哪儿?"

爱丽莎回答道:

"去我母亲的家……"

雪地里,她开始拉起雪橇往前走。

## 第十九章

# 蝴　蝶

伊莎·李躺在彩色的屋了里,已经发烧三天了。她知道自己需要帮助,但并不奢望有人会来救她。

这儿已经很久没人来过了。

脚下的冰面碎了,她掉进了湖水里,好不容易才拖着发抖的身子回到家,就这样,她发烧了。

她知道怎么样缓解痛苦。

她知道所有的药物。

但是,无力的身子采不到那棵长在家附近树皮上的蕨,她知道这种植物能治愈最猛烈的高烧。

伊莎并不害怕,手心里紧紧地握着一小幅肖像画,躺在蓝色的床垫上瑟瑟发抖,所剩无几的力气只能让她起身往火堆上添几块木柴。眼睛里,灼热的泪水让光线变了形,映出了一些奇怪的形状,慢慢的,这形状变成了风景,变成了人。

伊莎看到了她童年生活过的草原,一望无际,向天空倾斜。

清晨黄蜂的嗡嗡声。

以前,伊莎常常睡在花蕾中,有时,大清早的被一只蜜蜂闹醒,她睁开眼,看着这微型龙卷风刮过来——昆虫震耳欲聋的声音,翅膀搅动的气流,还有那蜂蜜的味道。扬起的花粉在她的身边形成了一团小小的粉红色的云。

伊莎不怕大黄蜂,不怕小蜜蜂,也不怕大胡蜂,她知道,只要优雅地行个礼,离开它们的领地就行了。她会从两片花瓣上滑下来,滑到花梗上。

有时,她也会去追蝴蝶,她用手掌摸着它们的肚子,没有哪种动物比蝴蝶更怕痒的了。

伊莎是大草原上最美丽、最野性、最纯真的姑娘。

高烧把伊莎·李扔到了回忆中,有那么一会儿,她试图抵抗,试图保持清醒,不在现实和记忆的虚无中摇曳。

终于,她用尽了所有的力气还是被高烧击倒了,她不得不放弃抵抗。

逝去的岁月在她身上流淌,她重新回到了十五岁生日的第二天,这一天定格了她整个人生。

伊莎躲在蝴蝶的影子里午睡,这只蝴蝶停在草原上空的一片巨大的树叶上。她刚刚与父亲吵完架,这位父亲总是催促她选择一位丈夫。

她的身边一直有一打为她效命的骑士,这些人都想娶她,这倒不是因为她有什么特殊的举动吸引了他们,而是只要撞上她的眼神,这些年轻的小伙子就会立即加入爱慕者的大军中。

为了吸引她的注意,这其中还有一些人做了不少傻得可爱的事。比如说鲁克,他把蒲公英的种子当成了降落伞,从他的草穗屋子里跳了下来,结果摔断了双腿。

然而,伊莎只喜欢清静,她可以失踪好几天,没人知道她到底去了哪里,她的父亲对此已习以为常。

但每一次,她都会回来。

这一天,当她正在筹划着下次的离家出走时,头顶上的蝴蝶振翅飞走了,她身边出现了一个男人的身影。

肩上背着一个大背篓。

"你好。"

伊莎没有马上回答,她看出了这人有些特别,他穿的衣服她好像从没见过,他的一只胳膊受伤了,吊在脖子上。

"对不起,"他说道,"是我乔走了这只蝴蝶,我没看到您在下面。"

虽然一脸的疲惫,眼里还透着忧伤,但伊莎还是看得出这人非常强壮。

他头发上洒落着各种颜色的蝴蝶粉末。

伊莎从来都不怎么注意男人,但这一次,眼前的这个男人唤醒了她的某种好奇。

"我来自大树,我研究蝴蝶。"

"研究蝴蝶",伊莎觉得这句话听起来很奇怪,似乎这几个字凑不到一块儿去。

游客想取下背上的背篓,但是他突然停住了,似乎手臂在痛。

伊莎起身走了过去,平生第一次,她注意到自己走向一个人的姿势,注意到自己的衣着打扮,她用指尖放下了紧紧裹在髋骨处的亚麻布。

她看着他的伤口,用手轻轻地抚摸着。

"您痛吧。"她开口说话了。

"没什么,三天前的一个夜里,一只蚊子叮了我一口。您是光

人吧？"

"必须要细心照顾这只手臂。"

游客微笑着看着她，说道：

"如果您知道我们怎么说你们的话……"

"跟我来吧。"

"我们说你们会吃掉像我们这样的游客。"

伊莎笑了起来，说道：

"眼下，您这种受伤的手臂让我完全没了胃口。"

先是伊莎在笑，接着两个人都笑了起来：这一刻注定了一切。

蝴蝶又回到了他们的头顶。

伊莎领着游客回到了父亲的草穗屋子，他俩一起清理了他手臂上的伤，并且伊莎让他留下来住了一个星期。这个星期里，不断有小孩过来看他，一看就是几个小时。

一开始，他们还不敢接近，渐渐的，这位陌生人拿出兜里的

东西驯服了他们。他背着一个长长的盒子,盒子里有许多小隔间,放着几千种色粉。光人们只知道一些简单的颜色:红色,黄色,绿色,他们不知道可以把这几种颜色混合起来,所有颜色都是直接从大草原植物上提取出来的。

但是这位来自大树的游客捕获了许多蝴蝶的色粉,各种颜色都有,数都数不尽,从金色过渡到黑色的色调中所有的褐色、所有的赭石色、所有的银灰色,以及所有的橘黄色。

多彩的颜色让光人们着了迷,于是,他们称这位游客为“蝴蝶”。

他们一个接着一个来到“蝴蝶”的面前,让“蝴蝶”在他们的鼻尖上点一点色粉。

伊莎也从不错过,她时常坐在角落里,盯着眼前的男人。有时,跟小孩正说着话的男人也会转过头来望着她。每每这时,她都会微微垂下眼帘,试图找回她一贯拥有的桀骜的眼神,但是,面对他之后,她的眼神不再桀骜。在父亲的家里,她本应该永久地保持着这种野性,像是一个不拘礼节、放肆的人。


两个星期过去了,不幸的是,伤口愈合了。

“还没完全好。”伊莎看着他的手臂说道。

“你这样认为?”“蝴蝶”问道,“我可没看到什么……”

“这是……这是在里面……”伊莎很笨拙地解释道。

这一夜,他们俩单独在一起,“蝴蝶”把上臂亮在伊莎面前,稻草火苗照亮了他的身子。

“我什么感觉都没有了。”“蝴蝶”说道。

“有的痛人们总是感觉不到,您还需要在这儿休息一阵。”

他默默地看着她,说道:

“伊莎,我必须离开,我必须回到大树上去。”

“但是您还没好啊。”她坚持说道,声音都哽咽了,“这很严重,非常严重,您必须留下来。”

这一次,“蝴蝶”发现了她的睫毛上挂着泪珠。

“告诉我哪儿严重?”他温柔地问道。

伊莎离火堆很近,她说道:

“如果您离开的话,我会痛的。”

劈啪声,沙沙声,夜里的喧闹声,都静了下来,庆祝这个时刻的到来。

伊莎把头靠到了“蝴蝶”的肩膀上。

这一刻,不知道草原上有多少男人希望自己能代替“蝴蝶”。

他们俩都不敢动。

“我也一样,如果我走了,我也会心痛,”男人说道,“但是伊莎,有些事情我还没对你说。”

他任由眼前的火苗轻轻吟唱了一会儿之后,说道:

“我在大树上有一种生活,我娶了一个人,可是我已经失去了这位我心爱的人,我还需要时间。”

“我喜欢跟你在一起的时候。”伊莎低声说着,声音都碎了。

“蝴蝶”决定多留一些日子,他们一起守着这个秘密,直到夏末。

草原上的人们继续热情友善地对待着他们的客人。

老人们邀请“蝴蝶”一起喝紫罗兰酒,年轻人跟着他一起去捕捉蝴蝶,女人们把他的色粉梳到头发上,当他去散步时,小孩们常常藏在他的背篓里。

所有人照旧来到伊莎父亲的草穗里,接受鼻尖上的彩点。

然而有一天，一切开始改变，有人看到"蝴蝶"和伊莎手牵着手走在一束芦苇丛下。

流言也以脱兔的速度传播开了。

没有人可以碰伊莎，她是草原上的公主，是大家最喜欢的人。他们无法接受这位陌生的大树来客来摘取他们的"禁花"，要知道，他们草原上没有哪个男人有权闻一下这朵野花。

于是，大草原上，光人之间，出现了前所未有的情况：流言蜚语、窃窃私语、交头接耳。但是李，伊莎的父亲，没有进入游戏的角色，只要这位老人一走近，其他人就都不说话了。

孩子们接到命令，不能再去见"蝴蝶"，老人们也不再邀请他一起喝酒，女人们洗掉了头发上的色粉。

最糟糕的事情发生了。最后那几个大晴天里，一队人传唤了陌生的来客，命令他离开这里。

第二天上午，这对恋人就消失了。

他们秘密结了婚,没让任何人知道,他们已经离开草原去了大树。

夜里,只有伊莎的父亲送别了他们,此刻,老人的唇齿间充斥着苦涩。难道他们永远不回来了吗?

老人久久地站在一束苜蓿脚下,看着他们离开,看着他们带着秘密远去的背影。

他刚刚才知道,女儿已经怀孕了。

伊莎回忆十五年前离开草原的那一刻,滚烫的身子感觉到有股灼热传到肚子里,传到她的宝宝发育的地方。就在这时,她听到了一个声音,好像有人在说:

"是我……"

伊莎知道自己正在妄想中黯淡下去,带着一个令人震惊的真相,她在自己的记忆中又活了一回。她的呼吸越来越弱。

但是,肚皮上的热度一直都在,这声音也一直都在:

"是我,妈妈……"

一束强光从她那闭合的眼皮里射了进去。

她睁开了眼,身边的火苗很高,应该是有人加了干木柴,伊莎慢慢地起身。

"是谁啊?"

有人用头贴在她的肚子上。

"是我。"还是那个声音。

就在这时,伊莎认出了近在咫尺的面容,短短的头发给了这面容一股神奇的力量。

"爱丽莎。"

爱丽莎的头已经埋进了妈妈的脖子里。

"我来照顾你。我回来了,妈。"

爱丽莎不是一个人回来的,火堆后面是莫·阿塞尔多赫的身影,他消瘦了,但是一直笑着,他凝视着这对拥抱在一起的母女。

伊莎的掌心里一直紧紧地握着那块肖像。

同一时刻,离这很远的地方,在接近天空的地方,尼尔·阿芒走进了莱奥·布吕的蛋壳屋子。

他想见爱丽莎。

最近这些日子,他什么消息都没得到,他既不知道爱丽莎的婚礼,也不知道她的逃亡,因为他去了北方的树丫,去了藤状地衣雨林深处……

他去找一队特技飞行员。

托比已经有很长时间没有回到奥尔梅西和阿塞尔多赫的家了,他的失踪让整家人都很担心。尼尔想找他回来,他向麦伊承诺会很快带托比回来。

"我能信任您吗?"麦伊问道。

尼尔和麦伊现在已经能够互相正视对方的眼睛了。

尼尔回答道：

"我是你的人，小姐。"

说完之后，他立刻意识到这句话还有另外一层意思。但是麦伊似乎并没有被触动，她撩开了垂在眼睛上的一缕头发，把它扎到了黑色天鹅绒包头带里，脱下手套，去握他的手。

在该松手的时候，尼尔没有松手，他把麦伊的手指在自己的手中多握了一秒，这一秒钟的温柔不亚于一个吻。

离开的时候，两个人都有了一种新鲜、奇妙的感觉，似乎能看到各自的身体都被分成小块在散开，在远离。

尼尔犹豫着要不要回头，他担心自己会失望，担心麦伊已经回到了屋子，而不是站在外面看着他离开的背影，但他还是想碰碰运气。站在高高的、潮湿的树皮上坡上，他慢慢地转过了身。

屋外已经没有人了。

他自嘲地笑了一下，接着赶路。

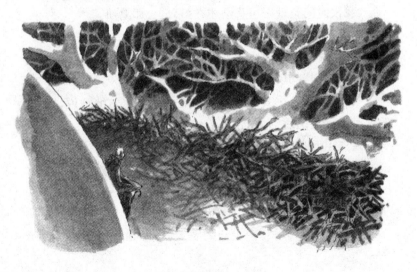

窗户后面，手和脸紧紧地贴在玻璃上，麦伊完全融化在激动中。看着他转过身来，她开始觉得，他不仅仅只有一点点喜欢她。

尼尔找了托比好几天，最后终于找到了那支特技飞行队，但是夏聂和多尔福告诉他，托比已不再跟他们在一起工作了。

就这样，带着某种不安，尼尔来到了树梢上的鸟巢，他不想错过与爱丽莎的定期约见，而且他也急于想弄明白托比神秘失踪的原因。

尼尔进了莱奥的屋子，屋里没人。

"莱奥！"他叫了一声。

黑暗中他踱着步，走到了一个四方形的笼子面前，里面一条蚕在作茧自缚。光线突然射了进来，照出了屋子里的一片狼藉，尼尔认出了爱丽莎黄色的床垫。

出事了！

"我没时间整理……我刚才在阳台上，那上面。"

声音从身后传来，是莱奥。

"我要去跟爱丽莎谈话。"尼尔说道。

我们听到莱奥吐出了一口气。

"我来看她……我想她会变得更好的，"尼尔继续说，"现在她已经在听我说话了。"

莱奥走近了尼尔·阿芒。

"我相信你，"莱奥的声音冰冷，"如果你认为她会变得更好……我相信你。"

"本来需要一个冬天。"尼尔的声音。

"对，一个冬天，一个漫长的冬天，你知道我现在在想什么……"

"不知道。"

"我在想,你曾是我第一个信任了这么久的人。"

"谢谢你,莱奥,我是你的朋友。"

莱奥·布吕禁不住无声地笑了起来,尼尔也试图跟着笑。

最后,莱奥走到尼尔的跟前,上下打量着他,然后对他敞开了怀抱,说道:

"我的朋友。"

他把尼尔紧紧地抱在怀里。

尼尔闭上了眼睛,接着说道:

"我想去你上面的阳台看看,行吗?我从没去过那儿。"

莱奥对着他做了一个夸张的手势,意思是说:"想去就去,就像是在你家。"

尼尔转过身,开始爬楼,螺旋状的楼梯设置在蛋壳的内壁。莱奥目送着他上楼。

当他消失时,阿尔拜央带着十个人闯了进来。

莱奥甚至看都不看他们一眼,说道:

"他在上面,你们该干什么干什么。"

士兵们开始爬楼,莱奥对着阿尔拜央打了个手势,让他过来。

"现在怎么样了?"莱奥问道。

"我担心她已经跑得很远了,从第一天起,我们所有的部队都在行动中,但是大树太大了。"

"如果你们找不到她的话,我亲自去找。"


他们一把推开了通向阳台的门。

阿尔拜央第一个出现,挂在腰间的胡蜂刺已经拔出了鞘。

没人。

树梢上的风景尽收眼底。小小的阳台挂在蛋壳外壁,俯瞰着鸟巢:白色的森林,鸟巢的细枝垛,还有远处对着天空生长的新芽,新芽顶上还蒙着积雪,点点分散在阳光下……但是却不见尼尔·阿芒。

"全体戒备!"阿尔拜央大叫着,"他跑不了多远!"

"看!他的手套!"

有一只手套留在蛋壳上,就在阳台的下方。

"他从这里跳下去了……"

所有的士兵跟着跳出了阳台,顺着蛋壳壁往下滑,但是阿尔拜央没有跳下去,他在阳台上停留了一会儿,然后转身回到了房间,并且把阳台的门也给关上了。

几分钟后,尼尔出现了,他就躲在阳台的上面,这会儿他跳到了阳台上。

在莱奥拥抱他的那一刻,他想起了托比的话:"某一天他把你抱在怀里,那是因为他什么都知道了。"

从那一刻起,尼尔决定要逃走。

"我很吃惊您落下了您的手套。"

阿尔拜央推开门出现在尼尔的身后,手里拿着剑。

尼尔往后退,阿尔拜央用大胡蜂刺瞄准着他。

"我知道你是叛徒,"阿尔拜央说,"从一开始我就知道。"

"背叛的人是您,"尼尔说道,"您完完全全背叛了您自己,阿尔拜央。"

四目相对。

"在我小的时候,"尼尔回忆说,"我看见您常常来阿芒农场采集蝴蝶翅膀上的色彩……"

"住嘴,尼尔·阿芒!"

"您曾经是我的偶像,是我想成为的人,一个富有感情的人,但是您现在变成了仆人,一个疯子的仆人。"

米诺斯·阿尔拜央的剑刺向了年轻的伐木匠首领。

尼尔身子闪向一旁,剑擦着他的脖子而过。尼尔起身跳了下去,阿尔拜央看着他离开了阳台,跳到蛋壳上又滚了下去,最后撞在蛋壳脚上。他想这小子算是完蛋了,但不一会儿,只见尼尔艰难地站了起来,扶着一根干木长廊继续往前走。

阿尔拜央在蛋顶阳台上发布追捕令,有一队人发现了尼尔正向白色羽毛森林逃去。

为了逃过第一队追捕者,尼尔拼命往前赶,但是很快,身边又出现了几个士兵堵住了他的路。这条路很窄,尼尔冲到了他们中间,抓着他们一起从鸟巢的树枝间掉落下去。

就这样,尼尔穿过了白色森林。他的一条腿痛得厉害,明显感到脚步慢了下来,后面的追捕者也从地上爬了起来。尼尔刚刚走出鸟巢,突然,精疲力竭的他感觉四肢不再听他使唤,他停下来,倒在地上。他听到了阿尔拜央手下人的声音,他们在靠近,尼尔·阿芒明白自己被抓了。

士兵们在他的身后停了下来。

尼尔的头靠在一株地衣梗上,他想到了麦伊,她的声音,她的动作,还有那即将永别的温柔,他本应该对她说的,一次,只要一次就够了。

"我们抓住……你了,垃圾……"其中一个人说道。因为跑得太猛,他说起话来上气不接下气。

他向尼尔凑了过来。但就在他的手马上要放到尼尔肩膀上的那一刻,他听到了一个声音:

"这个人是我们的。"

尼尔抬起了头,这是父亲的粗嗓门儿,身边站着十五个伐木匠。

"你们现在是在我们的森林里。"诺兹·阿芒说道。

一片惊愕,不知所措。

阿尔拜央的人你看看我、我看看你,很快就明白过来,他们什么也不能干,这是规定,他们不可以碰伐木匠。

他们犹豫了片刻,朝地面吐了几口痰后,转身走了。

年轻的伐木匠转过身望着自己的父亲。

年轻的面容笑出了一朵花。

所有的伐木匠都在回避他的目光,有些人还在偷偷地擦拭眼睛。

诺兹拿起了身上背着的斧头,看看身边一动不动的大老粗索尔肯,然后对尼尔说道:

"实际上,尼尔,你已经不再是我们的人了,你成了我们的阶下囚,直到你被行刑。"

他们抓起了尼尔·阿芒,像是抓流氓一样带走了他。

诺兹竭力高昂着头,但是他的心,却像是一块木柴被劈开了一样。

## 第二十章

# 虎爪之下

唯一可以证明尼尔·阿芒是无辜的人，唯一知道他的计划和意图的人，正深陷在乔·密西的火山坑里，在尘雾缭绕中不停地挖木头。

托比在自己身上涂了泥，这样一来皮肤的颜色就跟光人们一样了。他在火山坑附近闲逛，脚底下蓝色的线条远远地就能被发现，于是，在夜幕降临的时候，他就被抓了。

这恰恰是他想要的，托比要自投罗网。

月亮头、嘉浪以及其他所有的光人都很高兴与小树人重逢，米伽试图让列福知道托比又回到了大伙儿中间，列福很快就明白了，他把手伸进了托比的头发里，把他的头发弄得乱七八糟，就跟他以前在大草原上所做的一样。

光人们又找到了笑容。

"我见到我父亲了，"托比说道，"他们把我放在他的面前，问我认不认识他。"

"你父亲？"

所有的光人你看看我、我看看你，那位头戴着薄饼的老先生……原来就是托比的父亲。

"是个好人，"嘉浪说道，"能看出来你是他的儿子。"

托比点了点头。

桑不是他真正的父亲，波尔·科楠把这个秘密告诉了他，从那时起，他就知道桑不是自己的父亲，但是当嘉浪说他们俩相像时，他还是很高兴。

"我们大家都要离开这里，"托比说道，"我来这里就是为了帮助你们离开，还有我的父母，以及所有在这里挖坑的人。"

光人们低声议论着。米伽问道：

"小树人，你知道出路吗？"

"我现在还不知道，但出路总是会有的。"

"在这里，没有出路。"这话是月亮头说的，他感觉到有泪水涌入了自己的眼眶。

嘉浪悄悄地跟托比解释，说一个叫老虎的人这些日子一直询问月亮头，逼他说出项链坠子的事。

"我没有多少时间了。"月亮头说道。

"他想要什么？"托比问道。

"他想要找到你。"

托比久久地沉默着，末了，他说了一句：

"我得注意，不能让任何人认出我。"

接着，他像是自言自语地又说了一句：

"总会有出路的。"

这一夜，入睡之前，月亮头转过身来对着托比轻轻地说了一句：

"我有件事要对你说，小树人。"

"说吧。"托比一边打哈欠，一边说道。

"我姐姐也在这里。"

托比努力掩饰自己的吃惊。

"她在哪儿?"

"我不知道,我想可能他们让她在厨房干活儿,米伽曾在那里见过她。"

托比说道:"不能让你姐姐知道我在这里。"

"为什么?"

"我不能对你说,这点很重要,不能让你姐姐看到我。"

月亮头只有十岁,他还感觉不到这个问题的严重性,他想这可能就是那项不可理喻的游戏规则之一,这游戏大人们称之为爱情。

托比彻夜未眠,这是另外一种游戏,生与死的游戏,眼下,伊莱娅对他虎视眈眈,成了他最大的敌人。

接下来的日子,托比逐步研究火山坑工程。

他知道怎样混在光人们的队伍中,没有哪位监工能认出他,认出他就是三年前全大树人都在追捕的逃犯。

可是这工作却很折磨人,每一铁镐抢下去,都深深地扎在树皮里,发出让人难受的嘎吱声,而每当脚底冒出一滴树浆时,托比都不由得想到大树的末日。

一天上午,十几个光人排成一队,站在那被啃噬的木头峭壁脚下。当老虎出现在他们当中时,嘉浪给了托比一个信号:

"就是他。"

老虎的手里拿着一根鞭子,这是用来抽打这些苦役犯的。

"低头,小树人……"嘉浪告诫着他,"他会认出你来。"

但是正相反,托比转过脸跟老虎打了个照面,他必须要确定是否有人能认出他。老虎脸上没有任何反应,他在继续抽打着手中的鞭子。

在谷底另一端,列福身上套着好几袋装满木屑的布兜,沿着一根绳子在陡坡上不停地爬上爬下,他靠着绳子引路,而这绳子磨坏了他的双手。其他人可以获准一个短暂的休息时间,但是列福,他没有,不仅如此,还有一个监督员一直在核实他的负重,以便让他承载得更多。

光人们看着他有规律的脚步在峭壁上无休止地攀爬,都很担心他会筋疲力尽。

"我见过他的手脚,"托比对米伽说,"每天晚上,全都血淋淋的,他坚持不了多久了。"

"列福很强壮,小树人。"

"但他必须停下来。"

"如果他停下来,"米伽说道,"他们就会把他清理出去。"

托比禁不住想他的父母,想他那就活在另一边的父母,母亲怎能经受得住这地狱般的生活?

他必须要尽快采取行动。托比知道该怎么做,他观察了火山口的运作,摸清楚他们的习惯、士兵们的轮班制度等,他在寻找

一个小漏洞好跟父母以及其他人联系上。

再一次,事态的发展催促着托比实施计划。

每天傍晚,光人们都能喝到一碗梅红色的汤,汤上面漂浮着一小块煮沸了的海绵,实际上,是他们把一只肥大的、令人作呕的蘑菇扔在一口大锅里煮,把水染成红色。这顿饭在一间被用作厨房的破屋子门口发放,光人们排着队领餐,一个接着一个地把碗递给一位站在锅后面的老厨师。

老厨师着实像一块海绵,每当他看着汤表面,都应该能看到自己那红光满面的倒影。

这一天,吃晚饭的时间到了,月亮头碰了一下托比的肩膀。

"看!"月亮头轻轻地说。

伊莱娅就在老厨师旁边。

她蹲在大锅前,正对着火吹气。托比一个趔趄。

他没有丝毫犹豫,撇下了月亮头,不断地往后退,让其他的光人排在自己的前面。渐渐的,他已经退到了队伍的最后,前面已经是一条长龙在等着领餐了。

托比情愿不吃饭,也不愿意被伊莱娅看见。

"这光人做什么?"

他撞到了两位士兵,托比明白自己不能再往后退了,只能硬着头皮乖乖向前。他探出头往前看,远处的月亮头刚领到自己的食物,他对着伊莱娅笑了笑,但却没读懂她的眼神,这眼神里充满了迷茫和暴力,美丽的面容甚至动都没有动一下。

只剩下几步远了,前面只有三个人了,托比还在前进。

托比把碗递过去的那一刻,眼睛望着别的地方。伊莱娅这时正对着炉火吹气,人们只能看到她长长的头发垂在肩上。老厨师给他盛了一碗汤,托比转身走向远处。

一切都过去了,托比闭上了眼睛,准备找一个别人看不见的地方。

突然,有什么东西绊住了他的脚,他一个趔趄。倒下去的同时,他听到了狂笑声,滚烫的汤泼了一地。

"野人,你怎么不看路呢!"

绊倒他的士兵大笑着,并且把靴子踏在这淡红色的汤上。

"总是你们这些人在泥里打滚……"

"嘿,你,小家伙!"老厨师命令着,"把他的碗收回来,他吃饱了。"

伊莱娅遵命,起身离开火堆,向着一直躺在地上的人走了过去。托比起来了,就在他睁开眼睛的那一刻,他看到伊莱娅正盯着他看。

她很美,但是这种美让人害怕。

她微笑着。

"你好。"她问候着。

托比回到了人群中。


这天夜里,托比发现月亮头蜷缩成一团,脸埋在双膝间,他在哭。托比坐在他的身边,但不敢跟他说话。其他人都躺在各自的木屑床单上,为了不打扰这对朋友,都假装睡着了。

"为什么你不告诉我事实的真相?"月亮头一边抽鼻子一边说道。

托比吞咽着口水,什么都不能说。

"回答我啊!她要杀你,那天我看到的……"

"是的。"托比叹了一口气。

"我们要怎么做?"月亮头还在抽噎。

"太晚了。"

因为,光人宿舍门口传来了脚步声。脚步声很慢,但越来越近,月亮头常常能在夜里听到这种步伐。我们原本以为这是一位漫游者的步调,然而,它却是一位刽子手的。

"是他,"月亮头轻轻地说,"他来了。"

此人轻轻地吹着口哨来到了光人宿舍。天已经黑了,但我们能看到他的身影越来越高大。

身影停在托比和月亮头的床前,哨声也停止了,我们听到了低沉的冷笑声。

"这一切真是太美好了……"

是老虎的声音。

"我真是位天才啊……"

他突然不笑了,弯下腰一把抓住托比的头发,把他拽了过来。

"我不知道你对那个小姑娘做了什么,但是,她不喜欢你。"

托比不说话,老虎放开了他,同时踢了月亮头一脚。

"你!我不可能再说没准儿你能帮我找到他了,我会在你姐姐身上报复你的。"

老虎用铁钩柄打着月亮头,这小男孩纵身扑到他身上,顺势溜了下来。

"你们休想碰我一下!门卫知道我在这里,要是我有什么事的话,你们将一个个被宰掉。"

他又回到托比身边,对他说:

"来吧,有位叫密西的叔叔会很高兴看到你的,而我,我将会拿到我的一百万。"

光人们已经不敢呼吸了。

月亮头看着他的朋友,他还能做什么呢?

沉默的宿舍中,人们听到了一阵咯咯的笑声,接着变成了大笑,大家知道,这是托比的笑声。

老虎打了一下他的膝盖,但是托比还是收不住笑声。老虎接连又打了几下,但每一下只会让托比笑得更厉害,他都笑得喘不上来气了。

光人们吓坏了,他们以为托比疯了,但只有月亮头明白有什么事情正在发生,他开始跟着笑了起来。老虎把他按在地上,但是很快,宿舍的另一个角落里也传出了笑声,不到一秒钟的工夫,所有的犯人都笑了起来。

老虎堵住耳朵,一边打着嗝儿一边嚷道:

"安静!我要掐死你们!"

当托比终于控制住了疯狂的笑声时，便对老虎说道：

"我来了，请原谅……真是太刺激了。"

老虎看着他起床，看着他从人群中走过，看着其他人擦干刚才笑出来的眼泪。

老虎跟在他后面，心里很不爽，走了几步之后，他上前揪住托比，用铁钩尖顶着他的喉咙问道：

"我能不能知道你们刚才笑什么？"

托比笑了一下，回答道：

"没什么，也没什么。"

"说！"

"我怕说出来你会不高兴。"

"我让你说你就说。"

"就是您成为百万富翁的故事。"托比又咯咯地笑了起来。

"你不相信？"

"相信……"

"你认为密西不会付我这笔钱？"

"他当然不会付你这笔钱，但是……"

"但是什么？"

"这还不是最好笑的。"

"住嘴！"老虎大叫着，"不要再嘲笑我！"

铁钩尖紧紧地顶着托比的喉咙。

"四十亿……你认为这是在嘲笑世人吗？"

"四十亿……"老虎一阵颤抖。

"四十亿，没错。"

老虎放下了他的铁钩，深深地吸了一口气。光人们不知道他俩在说什么，但都密切留意着托比的举动，好随时配合他。他们

的词汇里没有"百万",也没有"十亿",他们只能数到十二,除此之外,就是"很多"。

老虎又说话了:

"石头……"

"对,大树之石。"

老虎转过脸来看着月亮头,只见他很自豪地默认了,虽然他越来越不明白他们俩在说什么。

人们听到了另外的靴子脚步声,又有人来了,老虎看起来有些紧张。

"老虎……"新来的人喊道,"现在你必须出去了,老虎。"

"在外面等着我。"他大叫着。

那人退了一步,他就是门卫爱尔宏,就是这个人掌管着所有的钥匙,是他放老虎进来的,他知道这是不允许的,所以他不放

心让老虎这个粗人单独与光人们待在一起。

托比感觉到铁钩尖又顶紧了脖子。

"你有那块石头?"老虎压着嗓门儿说道。

"对,我有。"

老虎紧张地回头望了望,担心同事离得太近。

"给我!"

"明天这个时候,"托比接着说道,"我们可以商量一下。"

老虎擦了擦脑门上的汗水。托比平静地说道:

"明天,我可以把石头给你,只要你不说出我在这里……"

老虎后退了一步,似乎有上亿的金子堆在他的眼前,开始吞噬他本来就所剩无几的脑子,他本来还想抵抗一会儿,但最终还是放弃了。

"明天,"他边退边说,"明天晚上,否则,我把你剁成肉酱。"

老虎的脚步声远去了,所有的光人都围住了托比,他们不明白:托比施了什么魔法,让这样一位恶人退却了呢?

"我们没有选择了,"托比说道,"明天午夜之前我们必须离开。"

他解释道:

"我要通知我的父母,还有其他人,我们要带着他们一起离开。"

"你已经找到出路了,小树人?"嘉浪问道。

托比笑了笑,说道:

"对于我们来说,我想我已经找到出路了,但是对于他们……我现在还是不知道该怎么做,首先得跟我父亲说上话。但眼下,必须要睡觉,养精蓄锐。"

大家都回到了自己的床位,睡意很快席卷了他们。

宿舍里又是一片沉寂,昏暗中只有月亮头的眼睛在一闪一闪的。

几分钟过后。

小人影起来了,一动不动地待了一会儿,接着跳下了床,没有任何声响,没有惊动任何人。

他从熟睡的人群中走了出来,出门的那会儿,他打了一个寒战,夜清冷清冷的。他朝着荆棘栅栏走了过去。

月光下,一个只有十岁的小男孩光着脚丫走在恐怖的工地上……单薄的身影看起来那么不真实。

月亮头的脚步沉稳,他知道姐姐就是这一切的祸端,他必须去弥补这个错误,亲自去跟那位头戴着薄饼的老先生谈谈,只有他个头最小,有可能从栅栏条里钻过去。

凌晨四点的时候,美娅走出了宿舍,坐在门后的台阶上。她已经在床上望着天花板躺了两个小时了。

这几天来,她的心情很复杂,自从知道托比还活着,知道他离她这么近……一开始这是一种莫大的欣喜,但随后,欣喜莫名其妙地变成了某种担忧。她再次感受到了为人母的责任,这担忧夹杂在做父母的所有幸福当中,担心他会出什么事,担心幸福某一天会离开。

她回忆起桑那天回家时,大衣里包着一个蓝色褴褛,一个很小的婴儿裹在一块蓝色的布里。

"他需要我们。"桑说了这句话。

美娅只提了一个问题:

"我是不是应该学习基本的动作?"

她很笨拙地把小男孩抱在自己的臂弯里,但从这一刻起,一切都显得如此简单。

"他叫托比。"桑告诉她。

美娅甚至都没等桑说出这小孩是哪里来的,就已经决定收养他了。

现在,美娅坐在火山坑中,下巴靠着膝盖,黑暗中她眼神迷茫,连寒冷都感觉不到了。她闭着眼,回忆着托比的小脚,那是她第一次握住这双小脚给它取暖。

睁开眼睛的那一刻,她看到了一个让人难以置信的身影:寒夜里,一个大概只有十岁大的小孩站在她的面前,他的牙齿在发抖,嘴唇已经冻得发紫,衣服被划得支离破碎,手臂上伤痕累累。

美娅对着他笑了。

"你迷路了吗?"

"我是托比的一个朋友。"月亮头说道。

这场面在微白的半轮月光的照耀下，就像是一幅油画。美娅先是双手合十做了一个祈祷的动作，接着起身把月亮头抱在怀里。

"跟我来吧，我的宝贝儿。"

她踮着脚尖带着他穿过宿舍，叫醒了桑，桑睁开了眼，拿起了眼镜。

她本想介绍一下小男孩，但桑制止了她。

"我认识他，"桑说道，"宝贝儿，我很高兴见到你。"

他像对待男子汉一样有力地握住了他的手。

美娅拿起一床被子裹住了月亮头的背，并让他坐在席子上，给他搓脚。

月亮头舒服得起了一身鸡皮疙瘩，原来父母就是这样的啊……给你暖脚，叫你"我的宝贝儿"，幸好他以前从不知道这些。

"他要你们准备好，"月亮头解释说，"他明天来找你们。"

"那你们呢?"桑问道。

"我们有法子出去。"

桑思考了一会儿。

"这样吧，告诉他不要管我们，大伙儿一起逃的话太危险了。我们已经挖好了一条隧道，明天晚上我们可以从隧道出去。对于乔·密西来说，这将是一个美丽的惊喜。"

月亮头同意了。

"我又能看到您了，是不是?"

桑把他紧紧地抱在怀里。

"对，我的宝贝儿，我们会重逢的。"

美娅坚持要多留他一会儿，但是月亮头知道天快亮了，他跳下了床，对着桑和美娅飞了一个笑容后，就消失了。

清晨,嘉浪发现月亮头躺在宿舍门口的地上,衣服成了破布,被剐破的皮肤就像是一块奶酪礤床儿。他甚至连走回宿舍的力气都没有了。

"这孩子发生什么事情了?"米伽望着嘉浪怀里熟睡的月亮头问道。

"我不知道。"

托比向他的朋友冲了过去。

"月亮头!"

月亮头挣扎着睁开眼睛,并且咕噜了几声。

"你说什么?"托比贴着他的耳朵问道。

"你的父母,很好。"月亮头说道。

托比明白了一切,月亮头是去了另一端。

国际大奖小说

第 二 十 一 章

# 春风越狱者

这 天，因为火山坑的两端都非常平静，士兵们稍微放松了对犯人们的管制，这样他们就少挨了些打，少受了些侮辱。

冬季的最后一天，人们在庆祝乔·密西的生日。整个白天，大家都在准备这件事，乔·密西的手下都被迫来参加生日宴会。鉴于乔·密西很难吹出一口气，人们只在他的生日蛋糕上插了一根蜡烛。

不管怎么说，癞蛤蟆是看不出真正年龄的。

奇怪的是，密西很喜欢跟大伙儿一起分享他的大蛋糕，这是他唯一愿意与人分享的东西。然而，他的手下情愿不要这难得的慷慨，没人愿意吃一丁点儿被他吹过的蛋糕，因为密西清了半个小时的嗓子，唾沫四溅，才勉强把唯一的蜡烛吹灭。

每一年品尝蛋糕时，都会有人露出怪相，这些手下都是捏着鼻子硬吃下那一块块盖着厚厚的肉冻的蛋糕。

这一天，夜校的看守很庆幸自己能够逃脱这场生日会，许多同事都想跟他换班，但是，他断然拒绝了同事们的好意。

"还是自我牺牲一下吧。"他诙谐地对大家说。

他朝着教室窗玻璃望了一眼，确定课已经正常开始了。桑·

爱丽莎的眼睛　297

罗尔奈斯站在讲台的后面,其他学生都坐在各自的课桌上,非常认真地听,小普朗·托尔奈正在擦黑板。

看守准备安安静静地坐在教室外面等着下课,他从来都不知道自己到底该监视什么,难道这群老疯子还会冒险越狱不成?

他暗自笑着。


在火山坑的另一边,看守光人宿舍的士兵也不再抱怨今晚也得值班。他叫爱尔宏,戴着小圆镜片眼镜,去年这个时候,他尝了乔·密西的生日蛋糕,但是今年,他一点也不想再来一次。

"谁在那儿?"

为了看清黑暗中的来客,守卫的眼睛在镜片后张大了一倍,这一夜,他不希望有任何人来探访。

"啊!是您……"

大个子老虎站在他的跟前,爱尔宏戴着眼镜的脸上显出了紧张的神色,他怕老虎,今夜他来光人宿舍到底想干吗呢?

"给我打开。"

"又打开?您,您……有许可证吗?"门卫结结巴巴地问道。

"如果你有异议的话,我可以掐碎你。"

"但是,我……最终……"

他一边开门,一边嘟嘟囔囔地说道:

"有人跟我说……"

"闭上!"老虎大叫了一声。

爱尔宏迅速关上了门。

"打开!"

"嗯……我到底是打开还是闭上呢?"

"闭上你的嘴,打开这扇门。"老虎低沉地叫着,两只手已经握

在了铁钩上。

门卫知道他不能再坚持了。

他开了门,放他进去,接着把门锁上了。

"别待太久。"他冲着老虎喊道。

"我跟你说了闭上!"

"已经关上了。"爱尔宏边回答,边把钥匙又在门锁里转了一圈。

老虎常常光临光人宿舍,昨夜里已经来过一回了。他老在宿舍里磨磨蹭蹭,每次都得爱尔宏来请他才会走,他到底在准备什么阴招?

门卫知道老虎的残暴,有人甚至跟他提过著名画家尼诺·阿拉玛拉的行刑事件……士兵当中,有些人私下里说就是老虎杀了他。每天夜里,爱尔宏都会偷偷地画画,他一直非常欣赏尼诺的作品。

老虎频频造访光人,这可能就意味着一个不妙的结局。

爱尔宏不安地等待着这位手持铁叉的士兵回来。

我们能听到远处生日宴会的声响,愚蠢的叫声、笑声、踏步声……真正是吵吵嚷嚷。

我们还以为是一只苍蝇在飞呢,这是爱尔宏的一个朋友所使用的术语,这位朋友是一位大黄蜂皮革匠,做这行的,都很熟悉苍蝇在飞行时振翅的嗡嗡声。

爱尔宏试图想象着上头节日的气氛,有蛋糕,有无精打采的掌声,有大横幅标语,上面应该会写着"乔巴尔·安斯坦葛家的沃密西生日快乐!"这是他的全名,只在一些重要的场合才会使用。然而,这位肥硕的暴君只能发出第一个和最后一个音节,在他大脑的沟回里,没有地方能容纳这么多字。

因此，人们从来都只叫他乔·密西。

当门卫意识到老虎还没出来时，一个小时马上就要过去了，他决定亲自去弄明白是怎么一回事。他拿着火把，开了门，接着从里面把门反锁上，把钥匙放在口袋里。

火把的光芒微微照亮了火山坑深处，我们能听到爱尔宏的牢骚话，他在这工作可不是来看守其他士兵的，这个老虎哪儿来的权利可以私自离开乔·密西的生日宴会。

爱尔宏已经来到了宿舍门口，光人们就睡在里面。爱尔宏换了一只手拿火把，左手按在腰间别着的佩刀上，说实话，他怕的不是光人们，而是老虎。他有一种不祥的预感。

"老虎!"他喊了一声。

没人回答。

门很窄，爱尔宏向前走了一步。

"您在这儿吗?"

他先把火把探了进去，屏住呼吸。

他进了屋子。

"呃……"

本想发出来的叫声到了他嘴边碎成了一声微弱的呜咽，脸上瞬间蒙上了汗珠，眼珠子也在逐渐变大，甚至比他的眼镜片还要大。

爱尔宏差点像一片枯叶一样坠地。

眼前的一幕触目惊心，光人们的尸体堆在屋子中央，四周是一摊血。尸体的后面，老虎背对着他坐在一个盒子上，正在擦拭他的铁叉。

爱尔宏跟跟跄跄地向他走了过去。

他用围巾堵住嘴，为了不呕吐出来。

"您在这里做什么?"

老虎转过了身。

但是,这不是老虎。

这面容和蔼多了。

爱尔宏头上挨了一棒,这一棒砸得他眼冒金星,渐渐地失去了意识。

"谢谢你,嘉浪。"托比从黑暗中走了出来。

手中的平衡木还在,嘉浪就是拿它砸倒了爱尔宏。托比看着倒在地上的爱尔宏说道:

"对他,我心存内疚,他不是最坏的……"

嘉浪默认了,他很满意自己成功地扮演了老虎的角色。这时他们俩转过身来,对光人堆说道:

"你们不走吗?"

最上面的那个身体动了,从人堆上滑了下来,很快,一个接着一个都动了起来。几秒钟的工夫,所有的尸体都复活了,他们围着托比集合着。

托比的主意奏效了,他从爱尔宏的口袋里搜出了钥匙,在其他三个人的帮助下,爱尔宏移到了老虎身边。老虎也被打晕了,早就没了意识。

在此之前,老虎也中了圈套,他也被眼前的情形吓住了。他怎么也没有想到,光人们把当天厨房里的红汤晚餐偷偷地留了下来,当成血涂在了身上。

而托比,只需要在目瞪口呆的老虎身后突然出现就行了。

一开始,托比请求嘉浪扮演老虎的角色,但是他犹豫着要不要披上这士兵的大衣。

"但是我不是他……"

"您的确不是他,但是您要装成是他。"

"这不是真的,小树人,既然我就是我,我不能成为他。"

"您依旧是您,但是您只要让别人以为您是他。"

"那我就是在造假。"

"对!"这句话像是在总结,托比已经开始发脾气了,"为了救我们大家的命,您是在造假,有的时候,我们需要忽视真相,嘉浪!"

嘉浪被说服了,而这时,托比开始后悔自己所说的话,他不能不实事求是。

现在,老嘉浪已经穿上了老虎的大衣,像一位明星演员一样在屋里趾高气扬地走来走去,做着各种各样的鬼脸、凶相,模仿着老虎的声音吓唬他的朋友们。

"我们走!"托比说道。

光人大队伍排成一队出发了,他们离开了宿舍,沿着火山坑山脚前进,悄无声息,比穿堂风还要安静。

托比拿着爱尔宏的钥匙打开了门,这是他第二次逃离这火山坑。

第一次时,他只有十三岁,那时的火山坑还没有这么深,就跟几个绿啄木鸟啄出的洞一般深,现在,这个无底洞已经刨开了大树的胸膛,深入肺腑,啃噬着大树的心脏。幸好有月光,透过树叶能猜出洞的大小,托比凝视着月缺。

"你知道出口吗?"米伽牵着列福的手臂,问托比。

"对,我知道。"托比回答道。

几年前,托比带着玛诺·阿塞尔多赫从这里逃了出去,从那时起,他就逃出了乔·密西的魔爪。他朝着围场走去,那儿曾给过他一次活的希望。

列福一直笑着,他什么都明白,自由之风压根就不需要耳朵和眼睛就能感受到。自由,有一种芬芳,有一种味道,我们从骨子里就能感受到。

米伽感觉到列福的手抓紧了他的衣袖。

就在这时,月亮头在队列的前方出现了,他赶到了队伍的前头,跟在嘉浪身后,嘉浪一直还在扮演着老虎的角色。月亮头之所以走得这么快是为了能赶上托比,跟他说上几句话。

"没有我姐姐,我不能离开。"

"什么?"

"你们走吧,不用管我,"月亮头气喘吁吁地坚持说,"我留下来救我姐姐。"

"别说傻话,"托比并没有放慢脚步,"你只要按我的命令去做,我,现在命令你跟我们一起走。"

嘉浪用眼神支持着托比的说法。

"我不走!"月亮头大叫着,哭了起来。

托比心痛得都要碎了,但是这一次,他必须要尽一位大哥哥的责任。

"这事情由不得你,月亮头,这里已经没有我们要救的人了,你姐姐不是囚犯,她揭发了我,她跟敌人是一伙的。"

托比的声音在月亮头的脑袋里回响着。月亮头停住了脚步,垂下了眼睛。托比没有回头,继续往前走,嘉浪悄悄地跟在月亮头后面,这个小家伙装着要回到队伍的后头。

他们到了围场,洞口只是用一段树枝松松地堵塞着,几分钟工夫,洞口就畅通了。这不是越狱,这是月光下的散步。

托比站在一旁,看着他的光人朋友一个个从洞口走出来,他知道冒险之路还长着呢,但是现在,他要享受一下这平静的胜利。

托比想到了他的父母,他们答应他也会同时越狱的,没准儿他们已经在他前方了。

最后一位从缺口处出来的光人穿着一件大衣,背上背着一

**爱丽莎的眼睛**

个小孩儿,他就是老嘉浪。嘉浪满脸通红,不敢直视托比的眼睛。

"我,我……用拳头打了他……我看到他想离开,就打了他。"

月亮头昏过去了,头靠在嘉浪的肩膀上。托比微笑着望着老向导,问道:

"这是您做的?"

嘉浪也不相信自己能做这样的事。

"我的手是不由自主的。"

"这是您的服装效应,"托比解释道,"您依然在演戏。"

"你认为是这样吗?"

"要是没有您,这小家伙可能已经被坏蛋抓到了,您做得很对。"

"我本不想打他的……"嘉浪抽着鼻子说道。

他抚摸着月亮头的额头。

光人们自由了。

一秒钟过后,夜校看守起身去核实教室里的一切是否正常,他背靠着教室唯一的门已经坐了一个小时了,现在他要起身走几步,仅仅是从门口走到窗口。

安静?对,教室里很安静。

完完全全的安静。

安静得就像没有一个人。

看守盯着空荡荡的教室一动不动,甚至都没有意识到自己正在吃自己的帽子。他不知所措,惊恐麻痹了他的全身,除了牙齿和眼珠——牙齿咀嚼着帽子,眼珠子朝着四面八方滚动。

几分钟吃掉了半个帽子过后,他才有了反应,他打开了门,祈求奇迹发生:三十个老翁会重新回到各自的座位上。

然而,没有任何蛛丝马迹,半根银发都没有。


隧道里,队伍行进得非常缓慢,桑让普朗·托尔奈领头,议员罗尔丹跟在他后面,教授紧紧地跟着他俩,再后面就是美娅。她拒绝走在桑的前面,因为她极度害怕再次失去自己的丈夫,她的眼睛不能离开他。

其他人都跟在后面。

泽福·克拉哈克是这支英雄花甲队伍的最后一个。如果把他们的年龄全加起来的话,远远超过了两千岁;如果要详细地列出隧道里存在的一切的话,肯定没有足够的空间来摊开这些笑声、气愤、痛苦、懊恼、快乐、爱情、大傻事,而这一切填满了他们整个人生。

大家都不出声地手脚并用着向前爬,有时,桑能听到老议员罗尔丹的呼吸声,这位老先生在进入隧道之前久久地把他抱在怀里。

"我不再信这些了，"罗尔丹说道，"现在，一切皆有可能，至少在我的风烛残年里，还可能找到一点自由。"

桑对着他笑了笑，说道：

"到了一百岁，计算员就会从零开始重新计算，你是我们当中最年轻的……"

但是，每当桑感觉到老罗尔丹要停下来时，他都会很担心，而这一次，老罗尔丹想转过身来对他说点什么。

"我的背上有东西在动。"

"什么也没有，"桑回答他，"继续前进吧。"

"我走不了，"老罗尔丹继续说，"隧道顶掉在我的背上了。"

"别担心，"教授重复道，"前进吧，我的老哥，必须要往前走。"

从一开始，这就是桑唯一担心的，不能让阿尔贝·罗尔丹再受到惊吓。前几夜里，他以为自己在跟谷蛾打斗，总是尖叫着，每一次，只有美娅用冷水抹在他的脸上，才能让他平静下来。

队伍后头，有人问了一句：

"怎么不走了？"

另一个人低声说道，"我想可能是罗尔丹昏头了。"

"罗尔丹从没昏过头。"卢堂气愤地回答了他们。

远处，队伍前头，罗尔奈斯教授还在坚持：

"你只需要跟着你前面的普朗·托尔奈就行了……相信我吧，老哥。"

"我完完全全相信你，但是我再说一遍，隧道顶在我背上。"

还是美娅第一个明白了过来。

"桑，"她低声道，"你能不能听听阿尔贝对你说了什么？可能隧道顶真的掉在他的背上了！"

这一刹那,桑一切都明白了,他意识到他们这是到了什么位置,阿尔贝·罗尔丹没有昏头,他说得很对。

一阵劈劈啪啪声打破了沉静。

"后退!"桑大叫着,"所有人都后退!"

教授抓住了老罗尔丹的脚,硬生生地把他拖了回来。一阵哗啦啦的声音,地板碎裂了,隧道坍塌了。

一团巨大的东西堵住了隧道,一种粉红色、像鼻涕虫一样的东西背部着地,尖叫着。真是一场噩梦,桑把罗尔丹抱在怀里,美娅帮着他们俩往后退。

"普朗?"维果·托尔奈在后头大叫了一声,"普朗·托尔奈怎么样了?"

桑已经没有力气回答这个问题了,在他的怀里,老议员罗尔丹发出了一阵阵绝望的呻吟声:

"我求求您……我求求您……别告诉我又要回去……我受不了了……"

粉红色的鼻涕虫还在隧道底部动来动去，原来这是乔·密西。

密西踩穿了厕所的地板，掉了下来。

生日宴会期间，乔·密西尿急了，摇摇晃晃地来到了这间茅房，这下面正是越狱者的通道。他刚解开裤子，地板突然在他的脚下塌了下去。

几个月前，克拉哈克和卢堂负责修复此处，他们把木条重新安了上去，但却没有对此加固，之后又立即往另外一个方向挖。他们没有想到这个地方很危险，很脆弱。

当所有的老囚犯一个个从讲台的活动门里出来时，外面已经有五十个士兵在等着他们了，他们的眼睛和耳朵里全是灰尘，听得不清，看得模糊。

桑和罗尔丹最后才出来，美娅看到了丈夫眼里的黯淡，他永远不能原谅这次的失败。她想握住他的手，但士兵们硬是分开了他俩。

乔·密西咆哮着进来了，他躺在担架上，由八个人抬着，这八个人明显体力不支，其中一个脸色惨白地面向他：

"我已经数过了……还少一个。"

乔·密西的一只眼睛闭着，因为掉进隧道时，一块板子砸到了他的这只眼，现在他把另一只眼也闭上了，开始扯着嗓门儿用尽全身的力气牛叫。

"少的是普朗·托尔奈……"士兵禀告。

乔·密西的牛叫声转变成了狮吼：

"普——姆——！"

利莫尔和托尔内悄悄地进来了，他们俩从火山坑底部上来，

这时都躲躲闪闪的,不想说话。

"嗯……"利莫尔终于敢说了,"还缺了一些。"

乔·密西的一只牛眼珠瞪着他。

"光人逃掉了,所有……的……光人……"

托尔内让一个人进来了,人们认出了他,他就是老虎,脑袋上裹着大绷带。

"是托比……"老虎说道,"托比·罗尔奈斯回来了,他带走了所有的光人。"

乔·密西从担架上掉了下来。

罗尔奈斯夫妇互相望着。

托比的名字在美娅的嘴唇间化成了一个气泡,慢慢地飞向桑,他闭着双眼接住了这个气泡。

火山坑下的树枝上,普朗·托尔奈在地衣林里自由地跑着,他孤身一人,神志恍惚,迷失了方向……

但是,很久很久以来的第一次,在他呼呼的喘气声中,我们听到他在说话。

第二十二章

# 迈向巴斯-布翰希

托比和他的光人队伍走了一天两夜之后终于停了下来,如果不是第二天夜里起了大雾的话,他们可能还会继续赶路。这一夜,他们在地衣林里互相挤在一起取暖。

草原上的居民终于困了,以前在火山坑里的睡眠太少了。他们喜欢感受风拂过面庞的感觉,喜欢在树叶上弹跳的感觉。

托比也终于闭上眼睡了几个小时。大清早起来时,他对着米伽做了个手势。

"我想我知道哪里能找到吃的,得给这些熟睡中的人准备早餐,你跟我来。"

透过晨雾,米伽想估摸出大概的时间。

"我们带上列福吧。"米伽说道。

三个人出发了,列福抓着米伽的肩膀走在最后。昏暗的地衣林冷冰冰的,开春的头几天里,雪还没有完全融化。

托比知道自己陪不了他们多久了,他在等待时机回去找爱丽莎,他以为她还在莱奥·布吕的鸟巢里,但他知道,在他一个人返回去之前,必须把这群朋友带到一个安全区去。

米伽停了下来,他感觉到列福松开了他的肩膀,托比和他同时转过了身,棉花墙一样的浓雾笼罩着他们。

列福不见了。

米伽开始四处寻找。

"列福！"

他知道他再怎么叫都没用，对于这位朋友，最大的危险莫过于迷路。当一个人既看不到路，又听不到叫喊声时，一不留神就可能永远迷路了。这种情况在大草原上已经发生过一次了，那次米伽以为丢了列福，幸好找到了他，列福安安静静地坐在一个泥坑里。

米伽自言自语道：

"我们不可能永远都这么幸运。"

托比想不明白到底是怎么回事，他自己也在浓雾中四处寻找列福。也就在这时，他看见米伽像是被一阵旋风吸进去一样飞了起来。说时迟，那时快，他扑了过去，在最后一秒钟抓住了米伽的双脚，随即托比的脚也离开了地面，幸好他成功地钩住了树皮上的一个苔藓环，上升运动陡然停住了。

"有人用绳子提起了我，"米伽大叫着，"绳子套在我身上！"

"把绳子割断！"

托比的双脚紧紧地钩着苔藓环，但是他觉得随时有可能飞出去。米伽解不开滑动着的绳子，他抬头时，只见一个人沿着绳子滑下来，手里挥着一把斧头砍断了绳子，随后和他一起掉了下来。

托比也滚了下来，他的头撞在树皮上，起来的时候，他听到了一个声音：

"我抓住他了，别担心。"

托比准备徒手作战，浓雾中，他向进攻米伽的人冲了过去。

"你在做什么啊？"看着托比扑了过来，此人大叫着。

托比被推到了一旁,他这才认出此人是一位特技飞行员。

"夏聂!是你!"托比叫了一声。

"我们一大早就跟上了你,我知道你沦为这两个光人的囚犯了。"

"我不是任何人的囚犯!放开他!"

"托尔福应该抓住了另一个!"夏聂说道,他还是什么都不明白。

"放开这个人,夏聂,这是一位朋友。"

夏聂下不了决心释放这位光人小伙子。

"放开他吧。"托比又说了一遍,声音温和多了,他把手放到了伐木匠的肩膀上。

夏聂放开了米伽,托比解释道:

"对于光人,没什么可怕的,这一点,最终会得到整棵大树的承认。"

"列福在哪里?"米伽问道。

托比用眼神质问了夏聂。

"是多尔福抓了他。"

米伽微笑了一下,同时搓了搓被绳子深勒过的手臂。

"希望这是个惊喜……"

他们找到了列福,实际上,列福很有耐心地在一根地衣梗顶上等着托比和米伽来找他,他坐在多尔福身上,可怜的多尔福正在呻吟。

他们花了好长时间才让列福明白可以把多尔福放开了。

夏聂和多尔福看着托比和他的两位朋友,入了迷,他们从来没有如此近距离地打量过光人。

"你到底是谁?"夏聂终于问了出来。

　　托比盯着夏聂,他可以对这两位伐木匠说出真相吗?他回想起一起在地衣林工作时那漫长的岁月,想起他很需要他们俩的帮助,需要这大树上所剩无几的善良和好意。

　　"我就是托比·罗尔奈斯。"

　　夏聂和多尔福吃惊的样子就如同托比对他们说:"我就是蜂后。"

　　托比·罗尔奈斯是一个神话,夏聂和多尔福在毫不知情的情况下,整个冬天都和他生活在一起,和名震大树的最有名的逃犯住在一起。

　　他们互相看着,都不说话。

　　"如果他们知道你在这里……"多尔福小声说道。

　　"大家都以为你死了。"夏聂说道。

　　"如果莱奥·布吕知道的话……"

　　托比打断了他:

　　"他不会知道的。"

　　夏聂做了一个鬼脸。

"你得小心他,人们说自从他的未婚妻逃走之后,他整个人都疯了。"

托比感到雾气裹住了他。

"他的……"

"他的未婚妻,"夏聂重复道,"她逃走了。"

托比久久地沉默着,米伽看着他,只有他能猜出发生了什么事。

"我要请你们帮忙,"托比终于开口说话了,"一个很大的忙,把这些人带到我指定的地方去,树林深处有栋屋子,里面住着两户人家,就说是我派你们去的,你们不用冒任何危险。"

夏聂和多尔福交换了眼神,他们信任托比。

托比在树皮上画了一条路,通向奥尔梅西和阿塞尔多赫的家。

"那里没有人住,"多尔福说道,"那片林区根本进不去。"

夏聂也摇了摇头。

"所有人都知道这里什么都没有。"

"打住,不要再说所有人了,你们自己去看看!"

托比打手势招呼米伽过来,对他说道:

"米伽,你把其他人都带过去。"

"其他人?"夏聂瞪大眼睛问着。

"是的,"托比边说边走远了,"我早就告诉你们这是一个很大的忙了!"

"托比!"其中的一位伐木匠大叫道,他想跟他说尼尔·阿芒的背叛,"托比,等等!"

"再见!"消失的那一刹那,托比回应了一声。

这天夜里,夏聂独自一人来到了树林深处的屋子,他没法相信在浓密的树枝间真的有人生存着。

米洛和莱克斯看着他走近,这陌生人是怎么走到这里来的?

夏聂友好地举起了手,阿塞尔多赫家姐妹和她们的母亲以及小雪儿一起出来了,阿塞尔多赫夫人担心这是一个有关他儿子莫的坏消息,她想儿子这会儿肯定还在巴斯-布翰希士兵们的手里。

"是托比·罗尔奈斯派我来的。"

麦伊扔掉手中的托盘,向他跑了过去。

"他在哪儿?"麦伊大叫着,"托比·罗尔奈斯在哪里?我有话要跟他说……"

"他走了。"

"去哪里了?他去哪里了?"

米洛抓住了麦伊的肩膀。

"你这是做什么?"夏聂问道。

"我正想问你这个问题呢。"

米洛没有回答,莱克斯已经在衣服里摩拳擦掌了。

"我和托比一样,都是特技飞行员伐木匠,是他请你们照顾他朋友的。"

"他朋友?"

"他们正在下面等,我现在把他们叫过来。"

夏聂看着轻轻哭泣的麦伊,阿塞尔多赫夫人过来把她抱在怀里。

"您知道尼尔·阿芒的事情吗?"米洛问道。

"对,我知道,他与莱奥·布吕密谋,他该受罚。"

麦伊从母亲的怀里冲了出来。

"这是假的!"她大叫着,"我知道这是假的,只有托比能证实,必须要找到托比·罗尔奈斯。尼尔就快要被处决了,但他没有犯罪,他从来就不是莱奥·布吕的同伙。"

夏聂被眼前的这位姑娘感动了,他认真地看着她,很想帮她。

"托比一大早就走了,都已经走了一整天了,根本追不上他,您了解他的,他往下走的速度就跟雪花的速度一样快。"

米娅能感受到姐姐的痛苦,她不用倾听姐姐的内心倾诉,就能知道,麦伊爱着尼尔。尼尔·阿芒入狱消息公布的那一天,这秘密的恋情也就大白于天下了。

麦伊不是尼尔的未婚妻,她甚至没有对他表明爱意,但不管怎么说,现在的她就感觉自己成了寡妇,处于深深的失望中。

跟几年前的妹妹米娅一样,她也跌倒在悲伤中。

"到底是谁,给了我这样相像的女儿啊?"阿塞尔多赫先生问道。

"是我……"他的妻子回答道,其实他的妻子是所有人当中最浪漫的。

夏聂把两根手指压在嘴唇中吹了一声口哨,远处有人回应了一声。

看着一队光人走近,米洛以为这人疯了。

"但是……这些人是谁……"

"就是我所说的朋友。"

"一群……您是不是疯了?"米洛低着嗓子说道,"您认为我们可以照顾……"

"疯了的人是你,米洛,"雄浑粗厚的声音在他身后响起,"难道你一个阿塞尔多赫家族的人已经丧失了热情好客的天性了

吗?"

　　父亲阿塞尔多赫先生出现了,小雪儿从屋顶上滑了下来,抱住了外公的手臂。

　　"你告诉他们到屋子后面去,"阿塞尔多赫先生补充道,"他们会帮我们筑起营房的。"

　　多尔福领着光人绕过了屋子。这一夜,夏聂和多尔福睡在阁楼里,他们听到了光人们柔美的歌声。

　　"这是真的,他们跟我们想象的不一样。"多尔福轻轻地对夏聂说。

　　"他们唱得真好。"夏聂回答道。


　　第二天,当特技飞行员正准备告别这一家人时,大家才发现麦伊跑掉了。

　　"她会回来的。"米洛说道。

　　但是米娅很了解姐姐,她是去找托比了,只有托比能挽救尼

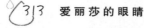

尔·阿芒的生命。

阿塞尔多赫先生坐到一棵树桩上，它的作用就是支撑屋子不被融化的雪水冲垮。他的两个女儿都是同样的性情……他觉得好累好累。

不远处，阿塞尔多赫夫人看着米洛，她的长子：米洛的头埋在手臂里，他是所有孩子当中唯一没有经历过风暴的孩子，或者不如说是所有孩子当中唯一没有制造风暴的孩子，也是唯一一个承受着所有人的灾难的孩子，米娅、玛诺、莫，现在又是麦伊……

我们可以说米洛是一个没有问题的孩子，因而我们大家往往会稍微忽视他。

阿塞尔多赫夫人走过来坐在儿子身边，温柔地抚摸着儿子的头发，把他紧紧地抱在怀里，就像小时候一样。

年轻的麦伊一刻也不耽误，她发誓要找到托比，她知道上哪儿去找，至少能在那儿碰碰运气：巴斯-布翰希的家，尤其是那个湖泊……她跟托比一样，对这个地区了如指掌。

昆虫们看着这团穿着蓝色衣服的火焰在树皮上疾驰，都以为是幻觉。这股子劲让她变得更加美丽，甚至可能让一只黑蚂蚁变成红色。

第二天一大早，她就到了塞多尔农庄附近，麦伊知道，自从他们逃出农庄之后，他们就不再是受欢迎的对象了，因此，她只能躲起来睡几个小时。

黄昏时，她继续往前赶，心里想着自己的尼尔。她知道他什么呢？他们之间所有的故事只是这几个星期里不露声色的对话：沉默、一些没有意义的话、衣角偶尔碰一下，就这些，再没别的，

而现在,为了救他,她正冒着生命危险……

"我的尼尔……"

她很清楚尼尔绝对是无辜的,她曾经听过他与托比的谈话,关于造访鸟巢。

因为胸痛,麦伊停了下来,双手叉腰,歇口气。

"我不会再等您……这约会,您来得太迟了。"

声音从一片枯叶的骨架后传出来,这声音听了让人觉得凄凉,这声音麦伊以前听到过。

那人出现了,麦伊花了好一会儿工夫才认出他。

他就是伽赫克,塞多尔驻军部队的首领,匿名信的作者,被拒绝的爱慕者。

他的脸上露出了一个可怕的笑容,麦伊的逃跑侮辱了他,他一直在寻找机会报复。

刹那间麦伊明白了一切,她使出剩下的所有力气转身快跑了起来,尽管胸痛又复发了。她不断地念着尼尔的名字,就像是一个魔法口诀,这口诀可以让她消失,让她飞起来,让她蒸发。

"尼尔!"

但是,她能感觉到伽赫克的味道就在身后,离她很近,她每跑一步,这味道就更近她一步。麦伊哀求天、哀求大树,泪水模糊了她的双眼,她要救的不是自己的命,而是尼尔的,她肩负着使命,如果她的生命就此结束的话,尼尔的命也就跟着消失了。

伽赫克的气息越来越近。

当感觉到此人的手抓住了她的裙子时,麦伊长长地叫了一声,这声音让身边的地衣瀑布都颤抖了。麦伊滚在地上,伽赫克掐住了她的脖子。

"我们本来应该会很幸福的,"伽赫克说道,"我们本来……"

一阵拨浪鼓般的哆嗦结束了他的话，伽赫克的身子倒在了麦伊身上。

一根针刺穿了他的背，这是一根胡蜂刺，针尖刚好挨着麦伊的肚子。

麦伊把伽赫克的身体推到一边，自己不但没有力气站起来，反而瘫倒在雪地里。

一个雅致的、穿着彩色衣服的男人来到了她的面前。麦伊不认识阿尔拜央，她依旧呼吸困难，说不出话，雪地已经被浸湿了。

阿尔拜央脱下手套，把手伸了过去。

从头一天夜里起，阿尔拜央就开始跟踪伽赫克。知道这傻子让爱丽莎逃走了之后，莱奥就委派他去收拾他。

麦伊抓住了男人的手，这手很有力，很温暖。在他的帮助下，麦伊站起来了。

"谢谢您。"麦伊说道。

"对不起，小姐，我应该早点下手。"

阿尔拜央看着她,她的脸上露出了一丝疲惫的微笑。

现在,她感觉很安全,她觉得这男人的内心深处有股极大的行善之意,没准儿他能帮她找到托比。

阿尔拜央毕恭毕敬地后退着,这是他一贯的好作风,末了,他转身准备离开。

就在这时,麦伊说了一个词,就是这个词,改变了整个故事的发展。

"请等等!"

阿尔拜央站住了,很平静地走了回来,蓝色的眼睛望着她。麦伊也向他走近,对,这种眼神值得信赖。

"我在找一个人,"她解释道,"您可不可以帮我……"

"我不知道。"阿尔拜央的回答很干脆。

麦伊合好大衣,交叉抱着双臂,湿湿的头发垂在眼睛上。

"我在找托比·罗尔奈斯。"

阿尔拜央一动不动,这个名字,已经很久不曾听到了,这名字会让莱奥·布吕感兴趣的。

"托比·罗尔奈斯。"他很平静地说着。

"在巴斯–布翰希,他应该是从这里经过。"

"可能。"米诺斯·阿尔拜央说道。

这个人刚刚救了她的命,面对他,她很有倾诉欲。

"他来与他心爱的人会合……他曾经跟我说过巴斯–布翰希的湖边。"

"他心爱的人?我冒昧地问一下,小姐,难道不是您吗?"

"不……"麦伊微笑着,"她叫爱丽莎·李。"

麦伊已经把所有重要的信息告诉了敌人。

"我不认识您说的托比·罗尔奈斯,"阿尔拜央的声音没有丝毫的颤抖,"我也没看到我们大树上还有什么湖泊,我祝您好运,小姐……"

他走了,喉咙里堵着一股奇怪的辛酸。

莱奥·布吕已经等他一小时了。他裹着一块黑色的披肩,离火炭垫子很近,他甚至看都不看一眼进来的顾问。

"做了。"阿尔拜央说道。

莱奥的双眼盯着火堆。

"伽赫克死了。"阿尔拜央继续说。

他蹲在炉火的另一端,在犹豫。

"莱奥·布吕,我还有件事情要跟您说。"

这一次,莱奥听出了阿尔拜央声音里的激动,他转过了身:

"说吧。"

然而,阿尔拜央却不想再说了,他突然间不知道这真相是好还是坏。

"说吧。"莱奥又说了一遍。

米诺斯·阿尔拜央说了。

又一次,莱奥感觉每个词都在远离真实。

炉火的另一端,仇恨和狂热的毒液已经涌进了莱奥·布吕的血管。

爱丽莎和托比。

爱丽莎和托比。

他们相爱着。

一阵狂风再一次席卷了莱奥的身子。

这风寒冷刺骨,差点吹灭了火苗,连阿尔拜央也哆嗦了。

夜里,莱奥一个人走了,他要去湖边会见托比。

TOBiE LOLNESS

## 第二十三章

# 月光下的决斗

莫·阿塞尔多赫递了一只碗给爱丽莎。

温热的光线洒落在彩色屋子的地面上。

"春天来了!"

开春的头几个大晴天里,树枝上吵吵闹闹,像是一支乐队在合唱,燕子唧唧喳喳地叫着,树浆也奏响了粗犷的调子,阳光下树皮开始噼啪作响,雪水也绕着屋子潺潺流动,一切都沉醉在蜂蜜的芬芳中。

爱丽莎双手端着碗,汤面上浮着一层银白色的粉末。伊莎亲自指定了自己的药剂,这几天里,这蕨粉已经起作用了,已经在拯救她了。

爱丽莎小心翼翼地把碗口放到母亲的嘴边,伊莎一边小口小口地喝着汤药,一边望着女儿。她发现女儿变了,比以前更温柔,同时也更有主见了。

"冬天过去了,"爱丽莎又说了一句,"我们即将走向美好的季节了。"

伊莎会时不时转过身看看莫·阿塞尔多赫。

"这孩子恢复气色了。"

这几个词从伊莎嘴里说出来时,只会让人觉得好笑,其实正

319　爱丽莎的眼睛

是她自己一点点、一天天地活过来了。

莫充当了家里男人的角色，他修好了旧门上的洞眼，这些洞都是前几个冬天被啃噬的；洗了所有的床单和帘子，这工作量很大，洗完时手臂累得不行，全身染上了各种颜色。

伊莎有点儿担心天气转好，因为她知道，每年的这个时候，都会有些军团来到这里，他们会在融雪季节来巴斯-布翰希视察房屋受损情况。

去年，他们在这屋子里住了一整夜，伊莎只能一直都躲在柴垛后面。士兵们每拿走一块木柴，柴垛就会矮下去一截，她的心就得揪一下，担心被发现。幸好，在她面前只剩下最后一段木柴时，士兵们离开了。

莫一直留意着屋子远处，他知道他们为了找到他，肯定会来巴斯-布翰希的最底部。当他往下看到有个身影艰难地爬上山坡时，他立即匍匐在地，向爱丽莎爬了过去。

"他们来了！"

两个人搀扶着伊莎·李躲在最后那块蓝色的屏风后面，蜷缩在屏风和屋子的木板之间。

"你们别管我了，"伊莎轻声说道，"你们现在离开屋子还来得及……"

两个人谁也没有动。

门吱吱呀呀地开了，脚步声传了过来，这脚步像是在地上拖拉，而且还站不稳。伊莎原以为是大边界上的跛子守卫，这人以为这屋子已经废弃了，时不时来这里酗酒。

脚步停住了，屋子里响起了低沉沙哑的声调。爱丽莎认为这是一首歌，一首她曾经听过的、悲伤荒凉的歌，但是，母亲比她先听出了这曲调。不管是在何时何地，每个人都知道这调子，每个

人出生落地的那一刻,都会哼这首歌。这是哭泣声,抽噎的哭泣声。

爱丽莎轻轻地从帘子后面走出来了,她看到屋子中央坐着一个人,正用衣袖抹眼泪。爱丽莎朝着他走了过去。

"是你,普朗·托尔奈……原来是你……"

普朗没有被惊吓到,但听到爱丽莎的声音时,泪水却更加汹涌了。

莫挽扶着伊莎也出来了。没人知道普朗·托尔奈从哪里来,也没人知道他是怎么活下来的,但大家都像对待国王一样接待了他。

这些天,普朗都是吃些野虫子充饥,他不停地在树皮上行走,渴了就吃口雪。他看起来不是特别虚弱,但是他的表达比以往任何时候都要混乱。深更半夜,他发现只有自己一个人从隧道口逃出来了,其他人都因坍塌事件堵在里面。他不知道该往哪里走,但是,直觉拖着他的脚步走向巴斯-布翰希。

他去找了以前的家,以前他和叔叔一起住的屋子,但是却发现整栋屋子都被焚毁了,地上还有些被烤焦的幼虫的残骸。

乔·密西的手下以及莱奥·布吕的人会让他们所到之处毁于一旦。

那时,普朗想起了年轻的爱丽莎,这位姑娘一直很热心、很亲切,想到这儿,他高兴了起来,没准儿爱丽莎和她的母亲会给他活下去的希望。所以,他一路跛着脚来到了爱丽莎的家,但是,当他发现屋里空无一人时,他崩溃了。

现在,爱丽莎、伊莎,以及莫·阿塞尔多赫的出现给了他极大的安慰。

"你要跟我们在一起。"年轻的女孩说道。

爱丽莎一直以来都认为普朗·托尔奈的生命中受过某种严重的伤害,他的叔叔——维果·托尔奈,总是说普朗曾是一个天真快乐、多话的孩子,但是,不知道为什么,突然有一天他变成了哑巴,而且常常被吓得惊慌失措。

普朗接过莫·阿塞尔多赫递给他的薄饼,他吃得很快,仿佛害怕有人要抢他的似的。

这一夜,伊莎看着火堆前的三个人:高傲的爱丽莎用毛毛虫墨汁重新在脚上描画了那道蓝色的线条,正看着火苗发呆;莫和普朗背靠背睡着。这屋子从来没有住过这么多人。

伊莎回想起十五年前第一天来到这枝头的时候,整个世界只有她孤零零的一个人。

那时,她以为生命中再也不会有阳光出现了,她的身边没有一个人。当初,她满怀着希望和爱恋离开了大草原,温柔地被"蝴蝶"拥抱着……然而这一切在中途戛然而止,灾难袭击了她。

她躲在最底部树丫的一个树皮窟窿里,离大边境很近,这地方现在成了她的彩色屋子。当年她就停歇在这里，因为实在没有力气再往前走，所有的一切都让她感到害怕，风扭曲着树枝，就连夜里的声音也跟大草原上的不一样。

这是生产前的一个星期：爱丽莎出生前的七天七夜。

孩子就快要出生了，但她却深深地觉得自己被抛弃了，那时，她常常梦到"蝴蝶"的手牵住了自己的手。

孤独让她有种想了结自己的欲望。

但是，只要想到这婴儿，伊莎就明白自己错了。她意识到，这九个月来，她根本就不是一个人了，从她有勇气跟着爱人一起离开大草原起，尤其是看着心爱的"蝴蝶"死在自己面前时起，爱丽莎已经存在了，而且再也没离开过她。

这一整夜，四个人一起待在彩色屋子里，他们背靠着背挤在火堆旁，忘记了一切危险。

莫想着他的家人。

普朗的头一直在一前一后地摇晃，他在驱赶那一直缠绕他的魔王。

爱丽莎冥思着她的计划，她知道，第二天她就要去找托比，但现在还不能跟母亲说。托比肯定躲在大树上的某个地方，她必须要去找他。

一定要从他们的湖泊那儿开始。

至于伊莎，她的手中一直紧紧地握着"蝴蝶"的肖像。

"蝴蝶"给她这个椭圆形盒子时，告诉她这是一位大画家的作品，一个叫阿拉玛拉的人，伊莎很感激这个人，是他的画笔留下了她爱人的面容。

这一天，伊莎决定把一切事情都告诉爱丽莎，告诉她她父亲是谁。夜里，她在准备一些词汇，决定第二天一大早全说出来。这些词把过去的记忆重新胶合在一起。

当其他人都睡着的时候，她总是醒着的。


不远处，有个身影驾着雪橇在雪地里滑动，月光下，他以惊人的速度下滑，遇到树丫时，他会侧滑向一边，接着以更优美的姿态出现在树皮斜坡上。

托比向爱丽莎飞奔过去。他的滑雪板在雪地里留下了两条平行的痕迹，但这划痕会时不时消失，因为遇到障碍或者一块没有积雪的木头时，托比会跳起来越过它们。雪已经不是很厚了，但巴斯-布翰希地衣林上的积雪层还够用，他必须要在苔藓丛中穿来穿去，在月光下若隐若现。

有时，前方会出现一个小雪包堵住他的路，他便以此为跳板，像是要飞起来，每一次重新落到滑板上，速度依然不减。淡蓝色的身影消失在雪帘里。

终于，他停了下来，天快亮了，他也累得没有力气了，但是，

爱丽莎的眼睛　324

每吸一口气,他都觉得闻到了晨光里紫罗兰的气息。

托比离湖泊很近了,他熟悉这黎明的味道,他很肯定爱丽莎将在那里出现。他感觉到眼皮在跳动,想起了他们初次见面时的情景:一个如木头般棕褐色、结实的小姑娘看着他游泳,他甚至还听得到她最初说的那几句话:

"真美。"她看着湖面说道。

是爱丽莎教会他认识这个世界。

他抖掉雪橇上的雪花,他知道,还得再往下走几分钟才能看到他们的湖泊。

托比正准备往下冲时,身后传来了翅膀摩擦空气的声音,他回头一看,赶紧扑在雪地里躲开这个物体,但紧接着,另外一个飞去来器挨着地面向托比飞了过来,托比顺势往前滚了一毫米,锋利的刀片掠过他的后脑勺,托比迅速站了起来。

莱奥站在月光下,五十米开外的上头。

两块刀片已经回到他手中,他一手抓着一个,眼睛死死地盯着托比,刚才,他差点削开了托比的脑袋。

托比摸了摸后脑勺,有一缕头发被割断了,而且头皮出血了。他跳上滑板又开始往下滑,他很清楚,他不能在毫无掩护的情况下徒手作战。

两把刀片同时飞了出来,闪闪发亮,全速追击着托比。就在两把刀快要撞到一起的时候,托比又一个侧滑,接着迅速刹住。飞去来器在他眼前撞到了一起,一个咬着另一个。

托比继续前进,他听到武器飞回背囊的声音,但是莱奥已经跑起来了。托比回头一看,发现他的敌人在一条小溪床里沿着滑雪道飞快地跑,似乎在水面上飞了起来。为了加快速度,托比身子前倾着。他们俩离湖边的悬崖越来越近。

　　雪层越来越薄，托比的滑雪板刮到了潮湿的树皮。

　　他在悬崖边停住了。

　　身后的莱奥一直锁定着他。托比用脚钩起滑雪板，沿着苔藓林里一条陡峭的小路跑了下去，他看到淡蓝的湖面上漂着巨大的浮冰，另一端的小瀑布因为融雪已经变成了洪流。

　　莱奥眼睁睁地看着托比消失在苔藓林里，他也朝着湖面跑下去。他全身心集中在一个目标上，一点儿也不觉得累，心里只有一个念头：掐死这个背叛他的人，还有他那与光人勾结的家人。

　　莱奥很快就能为被这些光人杀害的父亲报仇了，而现在，他

又知道了托比和爱丽莎的关系，于是，气愤变成了狂怒，在他眼里，托比早就是个死人了。

莱奥尖叫着，这叫声在悬崖上空盘旋、缭绕，连月亮都被吓着了，躲在一朵灰烬色的云后面。莱奥几个大步就跨到了陡坡上，然而托比却消失在他的眼中。他的手按着武器，四处张望寻找。

突然，托比旋风一般扑到了莱奥的身上，双手紧紧抱着他的身子，用脚踢着他的脚踝。两个人的身体抱成了一团，向湖面滚了下去。


火的热度让爱丽莎的身子迟钝了，但她知道有一只手在抚摩着她的脑袋，那是母亲的手。

爱丽莎应该是枕着母亲的膝盖睡着的，伊莎还在抚摩她的头发，这个动作像是被遗忘很久了，每抚摩一下都像是第一次。

爱丽莎明白了这一刻的严肃性，两个小伙子还是睡着的，屋外霞光已经出来了，她感觉到耳边有一股热气。

"我从没跟你说过你父亲。"伊莎轻轻地说道。

爱丽莎没有回答。

母亲缓缓地把所有故事都讲了出来。

她说了她在大草原上的生活，说了"蝴蝶"的出现，以及他们的逃亡……

爱丽莎只是听着，漫长的旅行中，她似乎又觉得自己的身子在妈妈的肚子里摇摆，再一次，父亲的笑声回到她的身边，她知道自己曾经听到过，她知道，这笑声不是在梦中听到的。

"在我们之前，你的父亲有着另外一种生活，他想把我们带到他以前的生活中去，两年之前，他失去了妻子，他很少谈到这个

……"

爱丽莎闭着眼听母亲讲话,她觉得呼吸轻松些了,心里有个结解开了,就像是我们生命的百叶窗一样,从里到外都明亮了。

当听到父母来到树枝上、父亲死了的时候,爱丽莎哭了起来……但她觉得这种伤心是平缓的,一位过世的父亲依旧是一位父亲,她依旧可以爱他,敬仰他,哀悼他。

"他在反抗,"伊莎说道,"那么多支箭射在他身上,他还在前进,我根本不知道这些箭是从哪里来的。"

爱丽莎贴得更紧了。

"到底是谁这么狠心,都已经中了这么多支箭,还要攻击他?他求我赶紧逃,因为有你,我听了他的话。爱丽莎,是你救了我,是我腹中的你救了我。"

爱丽莎睁开了眼睛,母亲手中握着一块椭圆形的东西。

"我要让你看看他的面容。"

伊莎的手在"蝴蝶"的肖像上张开了。

爱丽莎看着他,感觉有股清新的风吹了过来,这面容几乎是活生生的。虽然"蝴蝶"并没有笑,但他有着幸福的神色。

在已经死去的和活着的人之间,往往只隔着那么一层脆弱易碎的玻璃,而悲伤就是覆盖在这玻璃上的雾气。

一只手从她们俩的身后伸了出来,抓住了肖像,一声歇斯底里的尖叫声伴随着这个疯狂的动作。

# 第二十四章

# 哑巴的话

　　普朗沮丧地缩在屋子角落里,两只手紧紧地握着爱丽莎父亲的肖像。

　　他在说话。

　　爱丽莎认真地听着这奇怪的、含糊不清的说话声。

　　普朗真的在说话。

　　这些话不成句,但我们能听出一些音节,尤其是他说话的语气,他一边嘟嘟囔囔地说,一边亮出他握紧的拳头。

　　在激动和震惊过后,爱丽莎和她母亲朝着普朗走了过来。莫也被他的尖叫声惊醒了,对普朗说:

　　"安静……普朗……听我说……"

　　当他们的手接近他时,他不停地说着两个字,好像是:

　　"别杀……别杀……别杀……"

　　爱丽莎示意莫退后,让她一个人接近他。

　　"别杀……"普朗还在说这两个字。

　　爱丽莎试图去弄明白。

　　"别……杀?"

　　"别杀。"普朗回答着,焦躁不安地摇着头。

　　"别杀谁?"

"别杀他!"

普朗的拳头绕着肖像挥舞。

"不是你杀了他?"爱丽莎问道。

"不杀。"普朗摇着脑袋。

"我相信你,"爱丽莎说道,"我相信你,我知道不是你杀了他。"

伊莎和莫在一旁听着,他们看着爱丽莎的手已经成功地握在了普朗的拳头上。爱丽莎非常温柔地说:

"普朗没有杀人。"

普朗的呼吸平静了些。

"普朗没有杀人,"爱丽莎又重复了一句,"普朗没有杀人。"

但同时,她用同样的口吻问了一句:

"普朗看到了?"

立即,普朗睁开了眼睛,盯着爱丽莎,说道:

"普朗看到了。"

伊莎浑身一阵哆嗦,普朗又开始说了:

"别杀……别杀……"

爱丽莎沉默了很久,普朗知道,普朗看到了,普朗亲眼见到了"蝴蝶"的死,这残暴的行径像雷一样劈开了他的人生,甚至让他失去了说话的能力,也是它击碎了爱丽莎和母亲的人生。

她问道:

"是谁杀的?"

但是,普朗在角落里蜷缩得更紧了,他把眼睛埋在手臂下。

"别杀……"他颤抖着说。

"普朗没杀人,"爱丽莎重复着,"我知道普朗没有杀人,但是,是谁杀的?"

他摇着头，不想回答。爱丽莎也没再坚持，就让他在角落里待着，转身向伊莎和莫走了一步。就在这时，她的脚步停住了，普朗嘘嘘地说了些东西。

爱丽莎走了回来，竖起耳朵听。他在重复着几个模糊不清的字，听起来像是纸被揉皱的声音。她俯下身子，贴近他，她听清了：

"乔·密西。"

爱丽莎一动不动地呆在那儿。

普朗一直重复着这个名字，直到这声音转化成均匀的鼾声。普朗·托尔奈睡着了。

乔·密西是杀死爱丽莎父亲的元凶。

爱丽莎轻轻地掰开普朗的手指，把父亲的像拿到手中，镜框已经被他捏碎了，树脂玻璃变成了粉末，在手指间漏了出去，只剩下了一张薄薄的树叶画纸。

她久久地看着父亲的脸，然后把它转了过来。一直藏在镜框后的大写的铭文出现了，爱丽莎读了出来：

埃尔·布吕像，尼诺·阿拉玛拉绘。

爱丽莎转过身望着自己的母亲。

"谁给我起的名字？"她问道。

"是你的父亲，他希望你叫爱丽莎。"


阳光从门缝下射了进来，照到了爱丽莎的脚上，她站了起来。房间虽然还不是很亮，但是伊莎看到了女儿是如此苍白。

门突然被推开，一个浑身瘫软的身子倒在屋子中央。

突如其来的光线射得大家睁不开眼，莫花了好几秒钟才认出那是自己的妹妹麦伊。麦伊甚至还没等哥哥扶起她，就说道：

"托比和莱奥……在大湖边……他们……他们……他们在自相残杀……"

爱丽莎跳过火堆,穿过门,消失在阳光下。

爱丽莎向着湖边跑去,她感觉不到身子下还有脚。

爱丽莎向着湖边跑去。

埃尔·布吕,她的父亲叫埃尔·布吕。

冲下山坡的途中,她感觉到眼眶里的泪水成了一条横线,一直延伸到头发上。托比,莱奥,这两个名字交替撞击着她。

她跑到了湖面的悬崖上,看到了他们俩在湖心的一块浮冰上漂移。

战斗一直没有停止。

爱丽莎大叫着他们的名字,但是他们俩都没听到。冰块移向瀑布,爱丽莎开始沿着悬崖的顶端跑。

瀑布的水声掩盖了她的声音。托比和莱奥两个人再一次倒下,他们的身体在冰上滑动,冰面上留下了斑斑血迹。爱丽莎叫得更大声了:

"托比!莱奥!"

爱丽莎一直在峭壁上,下不去。她向瀑布飞奔过去,到了那里时,早已经筋疲力尽,嗓子也喊破了。她开始在水中前进,这水即将坠入深渊,为了能看到他们俩,她逆流前行,挨近了沿边。

她已经喊不出来了,一点声音都喊不出来了,她远远地看着湖面上两个年轻人的身子,躺在垂直于瀑布的白色冰面上,几乎一动不动。

这时,她游了几步,迎上激流,很快,顺着水流,一起冲向深渊。

我们能看到她小小的身子在水帘上慢慢地旋转,然后,往深

不见底的湖面坠落。

湖面上,有一个人重新站了起来,看着另外一个人。

他弯下身子,搬起了一块满是棱角的冰块。

爱丽莎的身体无声无息地落入水中,就在离冰块几步远的地方,然后消失在湖面淡紫色的昏暗中。

托比把冰块举到了莱奥·布吕的头上。

莱奥平躺在冰面上,双手交相抱着,脸上蒙着血和雪。

托比重回了过去的时光,他知道,只要完成这个动作,这一切即将消失,他重新看到了小莱奥,那个与他有福同享、有难同当的好兄弟,他想起了他们的友谊,甚至把两个人的名字都连在了一起,人们称他们为托·莱奥。他们从此再不分离了。

托比的鼻子在流血,他在肩膀上擦了擦,双手举着这块能让人丧命的冰块,他知道他要砸下去。

莱奥已经没有力气动了。

"曾经有一天,"莱奥说道,"我救了你的命。"

托比感到手臂有些软。

"曾经有一天,"莱奥继续说,"那是很久之前的事了,那天夜里,我和其他猎人在一起,我知道你就在那里,在那个洞里,我熄灭了我的火把,托比,我救了你的命,你还记得吗?我……我不求你什么……只希望你能想起……"

托比记起了那天夜里,但是他没有任何表示,血流进了脖子里,他必须要把这冰块砸在莱奥身上。

现在,就只需要使出力气砸下去。

一个小脑袋从冰冷的水中冒了出来,就在他们身旁,但是俩人谁都没注意到。为了接近冰岛,爱丽莎蛙游了几下,她双手抓住冰沿,爬了上来,浑身哆嗦,嘴唇在动,却没有声音,没人能听得见。她不说了,往前爬了过去。托比背对着她,莱奥满眼是血,什么也看不见。

托比抬高了手臂,准备砸下去,莱奥闭上了眼睛。

爱丽莎的手臂抱住了托比的脚踝,并且使劲拖他,托比趔趄着,冰块从手中滑落了。

托比的身子倒向一边,冰块在离莱奥的脸只有几指远的地方碎了。爱丽莎好不容易跪了起来,看着托比。她的衣服湿透了,感觉到了彻骨的凉。

"爱丽莎……"

托比也站了起来。

"爱丽莎……"托比不断地重复。

她在这儿。

她就在他跟前。

爱丽莎集聚了全身的力气想说话,但大吸了一口气后就倒在了冰面上。

托比连拖带爬地来到她身边。浮冰已经在湖滩上搁浅了。

"爱丽莎……爱丽莎……"

托比把她抱在怀里,年轻女子的身子一动不动,托比把她抱得更紧。

"爱丽莎……"

他的声音很无力,几乎听不到他在说什么,他贴着她的脸说了很久,像是从来没说过话一样,看他的嘴型,我们只能时不时地猜出一些词,比如"永远"、"今生今世"以及所有跟"永恒"相关的词,同时,我们也能听到:

"求求你……"

但是,爱丽莎看起来太平静了,她的身子甚至都不颤抖了,只有身上的香味还在散发,带着翅膀轻轻地刺激着托比的鼻子,似在他鼻孔里撒了花粉或者香料。这香味依旧活生生的,能够湿润人的眼睛。

托比的喉咙打结了,他说不出话来,只是把脸贴到了爱丽莎的脸上。

就在这时,爱丽莎睁开了眼睛,发出了一声尖叫。

她拉着托比滚到一旁,一只飞去来器刚好插在他们身旁。

莱奥已经站起来了,右手拿着另外一只武器。

湖滩上,阿尔拜央出现了。

当莱奥的视线落到爱丽莎身上时,他看到了她脚底的蓝色线条。

光人!爱丽莎是一个光人。

"你跟我的杀父仇人是一伙的?"

"光人从没杀过任何人。"

"住嘴……"

"听我说,莱奥·布吕,你听我说,"爱丽莎哽着嗓子说道,"你父亲……"

"不要提起我父亲……"

"你父亲是被乔·密西杀死的。"

"骗子!"

莱奥的身后传来一个声音:

"听她说……"

这是米诺斯·阿尔拜央的声音,他刚才听到了爱丽莎的话。

"是乔·密西杀死了你父亲。"爱丽莎重复了一遍。

这一次,飞去来器差点从手里飞出去。

"住手!"阿尔拜央大叫着。

接着,他平静地对着自己的老板说:

"是我让埃尔·布吕去大草原的,人们告诉我那里有一片花的海洋,是蝴蝶的天堂,离这里很远,我不敢去,你的父亲,莱奥……是你父亲自荐代替我去的,我把我所有的器材都给了他,他一个人出发了,自此之后,我没见他活着回来。"

托比和爱丽莎依旧在冰面上。

"这能说明什么?"莱奥·布吕低沉地说道。

阿尔拜央接着说了下去:

"我记得当时他的尸体是被一个年轻的边界守卫找到的,这位士兵当时在边界上饲养象虫,这个您是知道的,他就是乔·密西。"

"你也在撒谎!"

阿尔拜央像是受到了刺激。

"你的父亲是光人的朋友,"爱丽莎说道,"你的父亲是光人的朋友!"

爱丽莎一直是一边哭,一边说话:

"他死的时候,埃尔·布吕身旁有位女人陪伴着,这女人来自草原,他爱她!"

莱奥差点又挥出了武器。

"不要玷污我父亲的名字。"

"让我说完,之后你想杀就杀。"

爱丽莎换了口气,接着说:

"当埃尔·布吕越过大边界时,他不是一个人,他是和一位光人妇女在一起。"

"住嘴,爱丽莎。"

"这位女人就是我的母亲,她正在家里等着我。"

这一次,莱奥跪了下来,慢慢地,他的头垂了下来,直到额头抵到冰面上。

阿尔拜央也不再说话,他只是看着爱丽莎。

原来她是埃尔·布吕的女儿。

那么就是莱奥同父异母的妹妹。

爱丽莎闭上了眼睛。

托比把她抱了起来,带着她走了。

他们沿着湖滩走着,消失在苔藓林里。

阿尔拜央的手放到了莱奥的肩膀上。

"请跟我走吧。"

阿尔拜央的忠诚打动了莱奥,他转身看着他。

"我请你帮我最后一个忙。"

"说吧,您想让我做什么?"

"我派了两个人去了大草原，他们已经上路了，你去找到他们，求你了，阻止他们执行我的命令。"

阿尔拜央蓝色的眼睛一直没有离开莱奥。

"您要他们做什么了？"

莱奥的额头再一次垂到了混着雪和水的冰面上，他说道：

"我要他们纵火，焚烧整个大草原。"

远远的，托比回头凝视着湖面，他不敢叫醒爱丽莎，甚至连手臂里的重量都快感觉不到了。湖水冲洗了冰面上的血渍，也洗顺了莱奥的头发，而阿尔拜央已经不见了。

莱奥一个人待着。

托比转过了身，背对着莱奥继续往前走，他不敢低下眼睛看一下头靠在自己怀里的爱丽莎，一直朝着彩色屋子走去。

如果爱丽莎清醒的话，她是绝对不会让人像抱小孩一样把她抱在怀里的，她太高傲了。托比很清楚这一点，他微笑着，为了拥抱着这样的自由而微笑。

回家的路途不是很长，这期间，托比想的不是还没打完的仗，他看到了更远的地平线，看到了战争结束后的人生……看着日升日落，看着面条端上桌，看着怀里抱着两三个孩子散步。

一种美好的、甜蜜的生活，唯一的惊险活动就是深更半夜释放被网兜捕获的小飞虫。某位邻居把你叫醒，灯笼围绕着网兜，我们听到了悲伤的嗡嗡叫声。最后，虫子终于被放飞了，于是人们发出了一声"哇噢"，邻居互相邀请去家里喝上一杯，全家人都醒了。

托比很满意这样的生活，肯定有喜有忧，有好消息也有坏消息，比如说："西边掉了一根树枝"，"美丽的妮妮获得了三连冠，你不知道啊","这年的蝉又来晚了","今晚不会再下雪了"……

托比知道在漫长的斗争中,他别无所求,他要的只是这些小东西。

这一天,怀里抱着爱丽莎,他从没如此希望胜利,也从没如此肯定这就是新世界的第一个上午。

## 第 二 十 五 章

# 小春天

尼尔·阿芒的脑袋被放在柴墩上。

大个子索尔肯手里拿着斧头,工作服已经被汗水浸湿了。

"你将杀死一个无辜的人。"双手被绑在背后的尼尔说道。

索尔肯接受了使命:处决叛徒。

黄昏时,索尔肯把尼尔带到了地衣树丛的深处,离林场空地很远,这林场空地上有穿着睡衣的小孩子正在玩耍,他们的家在很远的地方,有人已经为他们铺好了床。

索尔肯试图驱赶自己内心的恐惧。

杀死尼尔,杀死伐木匠的小王子,杀死诺兹和莉莉的儿子,他尽力不发抖,但是,他感觉到握着斧头手柄的手湿乎乎的。

索尔肯是一位老先生,一位智者,但这艰巨的任务还是落到了他身上。

夏聂和多尔福,也就是那两位特技飞行员,已经成功地推迟了惩罚日期,他们说有一位痴情的姑娘会带着证据回来,但是,这位年轻的姑娘一直没有回来,很明显,她跟这个叛徒是一伙的,人们不能再等了。

索尔肯双手举起了斧头。

TOBiE LOLNESS

几大步开外的地方,尼尔·诺兹正在发疯似的奔跑。

他一边跑,一边大叫着:

"索尔肯!索尔肯!住手!"

但是,索尔肯无动于衷。

托比到了,尼尔·阿芒是无辜的。

"索尔肯!"诺兹的声音在发抖,他用身子在苔藓林里开出了一条路,"你在哪儿?回答我!"

　　索尔肯试图聚集浑身的力量,远远的,他听到诺兹在叫他,诺兹大概是被绝望冲昏了头脑,他必须在诺兹找到他们俩之前结束任务,不能让这位父亲看到如此惨烈的一幕。

　　索尔肯把斧头举到了尼尔的脖子上方,尼尔没有丝毫的畏惧。

　　"麦伊——"

　　尼尔呼唤着这个名字,光闪闪的刀片就悬在他的头上。

　　就在这时,一声呼喊劈开了空气,这是诺兹,他已经跳到了他们俩跟前。

　　"住手!"他大叫着。

　　斧子已经落了下去,索尔肯尽全力去阻止它,但是,它还是不偏不倚地落了下去,索尔肯闭上了眼睛,斧子已经劈开了柴墩!

　　"他什么也没做,"诺兹恳请着,"我有证据证明他什么都没做,索尔肯!"

　　索尔肯不敢睁开双眼。

　　"我早就跟你们说过,"脚边有个声音低低地说道,"我是无辜的。"

　　尼尔被父亲的叫喊声惊住了,但在千钧一发之际,他成功地把脑袋移到了一旁,他听到了斧头划过头发的声音。

　　他还活着。

　　这几天里,大树整个都变了样。

　　嫩绿的新叶皱皱着,这是婴儿的皮肤,也是老人的皮肤。

　　叶芽一个接着一个开放,春天再一次把树枝染成了绿色,大树又一次从与冬天的竞赛中重新站了起来。

　　但是这一次,一些希望开始和春天一起闪烁,最壮观的孵化在人们的大脑中发生了。托比的归来，光人以及罗尔奈斯家族的无辜，莱奥·布昌的放弃作战，所有这些消息全速传遍了大树，乔·密西的阴谋诡计激起了人们内心的反抗。

这革命我们把它称为小春天，从伐木匠开始。

因为错怪了儿子，诺兹·阿芒惭愧不已，他本想张开双臂拥抱尼尔，但尼尔却后退了一步。

诺兹看着儿子，那张开的手臂只得垂到身体两侧。

儿子拒绝原谅他，而诺兹也知道自己是不可原谅的。

"我明白，"父亲说道，"我可以理解，我的儿子……"

他往后退，笨拙地掩饰着自己的情绪，然后朝着森林走去。

在不远处那爬满地衣的高原附近，诺兹碰到了一位年轻的姑娘，他认出了她，为了不让她看到自己红红的双眼，他把头转向一边。

年轻的姑娘看着他，她就是麦伊·阿塞尔多赫，诺兹知道是她救了儿子的命。

"他需要时间，"姑娘说道，"但他会回到您身边的。"

"谢谢您……小姐……"说话时，诺兹转过来半边脸。

"请您耐心等待，人家都说伐木匠是很有耐心的。"

"伐木匠有耐心。"诺兹承认这句话，他一动不动地站着。

接着，从大胡子里又冒出了一句：

"但是，我老了……"

听到这话，麦伊过去拥抱了诺兹·阿芒，而他鼓起所有的力气说出了一句话：

"我自己才是叛徒，我连自己的亲生儿子都不相信……"

大个子伐木匠走了。

尼尔和麦伊面对面站在林场空地的两端，久久地望着对方。

四目相对，他们要充分享受时间和空间，因为他们知道，只要手碰到一起，就永远不会分开了。

乔·密西的嗅觉就像绿头苍蝇一样灵敏，他感觉到了千里之外的威胁。有的时候，有点嗅觉比有些神经元加上一颗跳动的心脏要有价值些。

当几百个伐木匠包围了火山坑，并且攻了进来时，他们非常气愤地发现，乔·密西前天夜里就已经不在火山坑了。

托比冲下隘谷，这是老智者们工作的地方，但是所有被拘押的人都消失了，火山坑里一个士兵都没有，托比下令继续搜寻。

这时，他听到有人在叫他。

是莫和米洛，他们从峭壁底下爬上来。

"托比！他们被关在下面，我们听到里面有声音，必须把门砸开。"

托比跑到宿舍，向门口走去，索尔肯跟他并肩走着，身后跟着多尔福、夏聂以及其他几个特技飞行员。嘉浪和其他十几个光人也都找到了各自的吹管，他们再也不离开他们的小树人了，只有爱丽莎回去找她的母亲。

托比接过了索尔肯的斧头，他望着这扇门，可能正是这薄薄的一扇门隔开了他和他的父母。

他举起斧头砍了下去，门从中央劈开了，就像是剧院的幕布被拉开。

眼前，门后，站着一群囚犯，他们一动不动，严肃的眼神看着托比和他的朋友，没有欣喜，没有释怀。卢堂，老鞋匠，裹在一床被子里。

泽福·克拉哈克和维果·托尔奈从队伍中走了出来。

"我们不知道还会有人来。"

"他们全活着!"多尔福对其他刚到的伐木匠大喊了一声。

但是,泽福·克拉哈克摇了摇脑袋。

"不,我们不是全都还活着。"

犯人队伍从两边闪开,在中间留出一条过道。

最深处的草席垫上,托比看到了一张纯白的床单,床单下躺着一个人。

托比手中的斧头下意识地滑了下来,掉在木地板上。穿越这长长的、灰色的队伍,他在前进。莫拿着火把跟在身后。托比能感觉到有股力量凝聚着这些囚犯——这是友谊,坚不可摧的友谊,生长在工地阴郁中的友谊。

托比走到床边,回头再一次望了望大家的眼神,莫手中的火把在这一双双眼睛中跳舞。

托比轻轻地揭开了白色床单。

是老议员罗尔丹。

"他昨晚辞世了,"卢堂抽噎着说,"他是我的朋友。"

"我知道。"托比回答道。

"他本来还想再看看他的树枝。"

"我知道。"托比重复着。

一个人过来扶住了卢堂,大家都看着托比。

维果·托尔奈一捋胡子,说道:

"我的孩子,乔·密西带走了你的父母,我们必须找到这垃圾。"

托比一直在等着托尔奈的这些话,他知道乔·密西绝不会放过桑和美娅的。

"我跟你一道,"维果·托尔奈说道,"我要对得起我的老哥罗尔丹。"

"我也是。"一个声音从泽福身后传了出来。

"我也是!"这是另外一个声音。

"我也是!"

战争真正的口号在小小的宿舍里喊起来了,首先响应的是伐木匠们,接着光人们用自己神奇的调子传播开去,整棵大树颤抖了。

只有卢堂久久地跪在罗尔丹的床边低声哭泣。

"老树枝,我的老树枝啊……"

离开火山坑时,托比扫视了这个巨大的伤口,他在想大树能不能自己愈合这个伤口。一阵风吹响了头上的树叶,这摇篮曲让托比安下心来。

龙队出发了,大树依然挺立着,甚至在唱歌。

就在这时,托比发现峭壁另一端上有两个小小的身影,一个人站在峭壁边上,面对着深渊;另外一个蹲在身后,这是个小孩。

托比认出了那是伊莱娅和月亮头。

原来是月亮头找到了姐姐,她躲在这个壁洞里,差不多冻僵了。

他看见了托比,冲着他打了个手势,示意他来照顾她,让他放心。

刹那间,托比的目光和伊莱娅的相撞了,托比低下了头,领着大部队出发了。

月亮头陪在姐姐身后好几个小时了。姐姐一直站着,凝望着峭壁,肩头背着沉沉的忏悔。她探出身子,想失足掉下去,她在寻死,她觉得自己有罪,是所有灾难的制造者。

月亮头开始和她说话,语调和和气气,并且慢慢地接近她。接着,他闭着嘴哼起了曲子,最后,他什么也不说了。

夜风摇曳着伊莱

娅的身子,火山坑老早就已经荒无一人了,只有他们俩在这洞口边,黑夜填充了一切,像是一个湖。

伊莱娅终于累得支持不住了,有那么一会儿,她的身子还在树皮和峭壁上犹豫,但最后,她选择站在上面,选择了生的这一端。

月亮头把她拉到身边,两个人背靠背地睡着了。

这时,"小春天"革命运动已经蔓延到了树梢,托比的队伍越来越壮大,大树民族重新找到了希望。男人、女人都从家里出来参加大众活动,一个个像是被光线照得睁不开眼的猫头鹰。

乔·密西在逃亡,必须设防才能堵住他。

"我会举报的!我们有好消息的话绝不会错过。"一位瘦小的先生说道,他正在试穿年轻时的漂亮衣裳。

"太棒了!"他的妻子闻了闻之后说道,"真是太棒了……"

人们夜里也都敢拿着火把走出家门了,我们终于又看到有小孩子在树枝上奔跑、玩耍了。

人们庄严神圣地看着大树,个个都睁大了眼睛。

"会不会太晚了?"凝望着树梢上为数不多的叶芽,有些人问道。

话一出口,立即会招来旁边人的严厉斥责:

"卷起你的衣袖吧!可怜虫!绝不可能太迟!"

那些亲手制造了自己不幸的人也发现了一个神圣的使命,那就是不得不重新战斗起来。他们开始堵住地道,刮掉叶芽上的苔藓,甚至连恋人们也不再在树皮上刻自己的名字了。

对,人们再也不会错过好消息了。

住在大树上端的居民也来增援，他们告诉了托比乔·密西逃跑的踪迹，据他们证实，他骑在唯一幸存下来的一只象虫身上，身旁还跟着几个人，两个囚犯也一直被押着……

渐渐的，拥护者离开了乔·密西，这期间肯定有些人跟随了托比的队伍。

但是托比知道，乔·密西的逃亡并不是漫无目的的，他肯定有自己的计划，尤其是他手里掌握着最珍贵的交换物：一位戴着贝雷帽的学者和他的夫人。

维果·托尔奈再也不离开托比了，得知侄子普朗逃出来了，现在正安顿在巴斯-布翰希的一间小屋子里时，他很开心。维果重新找到了初春的翠绿。

一天上午，在一根小树枝的起始端，两位身材瘦小、拄着拐杖的老妇人，看着大队人马走过。托尔奈对托比说，他要过去问问这两位老妇人。

托比远远地看着勇敢的托尔奈跳了过去，气度非凡。他毕恭毕敬地问候了两位老妇人，但是突然间，托比看到他的臂肘砸在一位老妇人的脊椎骨上，接着又用膝盖撞碎了她的肋骨，另外一只手抓起第二位老妇人，使劲地摇晃，然后一拳打在她的牙齿上，再把她扔到第一位妇人身上。此时，他跳到了两位妇人的身上，踩来踩去，跳起了单脚舞。

托比一动不动地看着。

好几个伐木匠扑了过去拦腰抱住他，受害者在地上嘶哑地呻吟着。

托比走了过来，认出了她们俩。

"放开托尔奈，"托比对着伐木匠说道，"他这么做自有他的道理。"

两位妇人躺在树皮地上,一半身子用老妇人的方巾和围裙盖着。人们走近一看,原来老妇人是利莫尔和托尔内。两位凶神恶煞的帮凶终于都抛弃了他们的老板,为了不被人认出来,他们乔装打扮成这副模样。

暴力解不了他的恨,托尔奈想到的是罗尔丹,可怜的老先生就是死在这两个看守的眼神下,他明白:原谅和报复都不可能再让罗尔丹复生。

离开的时候,托尔奈朝他们俩扔了几颗牙齿,在他挥拳的时候,这几颗牙不小心落到了他的口袋里。

几个星期后,他们已经离树梢很近了,托比带着大队人马在一根树枝上安营扎寨,树枝上已经长满了新叶,新叶上落满绒毛。

爱丽莎的眼睛 352

托比着急了,他带着十几个人一路跟踪乔·密西来到这里,但现在,这踪迹却消失了。托比不知道该往哪个方向走,因此他觉得第二天一大早再下去,往北边的树丫方向找找看。

营房里的人都睡着了。星星之火洒落在细腻的树皮上,几个光人在吟唱着他们那与众不同的曲子。

托比试图入睡,但是,他总是情不自禁地想起自己的父母,老想着他们的声音,想着小时候自己做噩梦时,总是这声音把他唤醒,那时,他们俩会抱起他,吻吻他的额头,说的唯一一句话就是"好了,结束了"。

现在,他猜想着头顶上的星星已经有很长时间没来树梢了。

这是一个没有月亮的夜晚,跟开始逃亡的第一夜一样。月亮不在的时候,星星就会跳起舞来。他呼吸着高处清新的空气,夜的味道,正是这味道唤起了他的童年记忆。

"真美。"

托比觉得心都跳了出来,他滚到一旁,转身的时候,已经与爱丽莎鼻子碰着鼻子了。

"你在这里做什么?"

这个问题很愚蠢,爱丽莎不想花工夫去回答。

"我不是跟你说了要你待在巴斯-布翰希嘛。"托比温柔地坚持着。

爱丽莎突然在他的肩膀上重重地拍了一掌,然后背靠着背贴在一起。

手握着手,手臂长长地伸着,从肩头到指尖,都在一起。

"我不想再等了。"沉默很久之后,她说道。

火噼噼啪啪地燃烧着。

清新的空气让爱丽莎有点儿飘飘然,她的嘴和眼睛都张得大大的,她能感觉到手指跟托比的手指结合在一起。

美妙的是他们的皮肤并没有同样的温度,他们从手掌上能感觉到心脏的跳动。

托比不敢动,他在想自己是否能习惯,爱丽莎一出声就能让他晕倒,手腕一动就能让他神魂颠倒。

"我也一样。"他莫名其妙地说出了这句话。

但接着,他又重复一遍:

"我也一样。"

两个人都不说话,甚至连空气都不存在了,俩人一动不动地望着从树叶细缝间透过来的星光。

"真是疯了。"爱丽莎说道。

这种甜蜜没有其他词语可以表达。


很久过后,爱丽莎递给了托比一件东西。

"给。"

托比把手伸了过来。

"有人在路上发现的。"

这个东西圆圆的、软软的,尽管天色很黑,托比还是认了出来,这是桑·罗尔奈斯的贝雷帽。

"可能他掉在路上了。"爱丽莎说道。

托比轻轻地笑了起来。

"掉了?我的父亲?他情愿掉了自己的脑袋……"

我们听到了托比挤皱帽子的声音,接着他把它拿到了火边,从帽檐儿里拿出了一张卷起来的小方形纸片,借着未燃尽的木炭火光,托比读出了这句话:

*树梢鸟巢,我们很好……我们……*

托比把纸条重新握在手心里,桑都没能写完这纸条。

爱丽莎看着托比,他已经换了一个人了。

黑夜中,他站了起来,一声令下,传遍所有的火堆,整个军营都起来了。

# 第二十六章

# 走丝线

乔·密西躲在南边蛋壳中。

鸟巢其他地方看起来全都废弃了，一只大蜘蛛在这里安了家，托比和朋友们赶走了大蜘蛛后，几分钟内就把整颗蛋包围了起来。

第一批人马到了之后，蛋壳里只剩下四个人了，因此，乔·密西身边只剩下一个忠心的随从看守着桑和美娅。

相反，托比身边的伙伴已经不计其数，但是他知道，有一把刀架在美娅的脖子上，这把刀足以赋予作恶者所有的权利，托比的人再多，也改变不了局势。

老虎第一个出现了，站在连接梯过道的上端。

他抓住美娅，顶在身前充当挡箭牌。

托比注视着自己的母亲，她站直身子，神情依然平静地看着人群。等到认出托比的眼神时，她微微抬起了下巴，托起这下巴的是喜悦和自豪。

但美娅落在了这野蛮人的手里，这一幕深深地触动了托比，他很难回复这个笑容，他想要是爱丽莎在他身边就好了，她去哪里了呢？

托比向前走了一步,等着老虎发话。

天空的乌云开始聚集。

"我们会杀了他们的,两个都杀!"老虎咆哮着,"只要你们敢反抗,我立马杀了他们俩!"

托比打了个寒战。

"你们想要什么?"维果·托尔奈问道。

"乔·密西过会儿出来跟你们谈……"

老虎把美娅推进了蛋壳,消失了。

爱丽莎混在人群中,走不出去了,远远的,她听到了老虎的威胁,也看到了美娅,美娅的美丽给她留下了深刻的印象。

突然,爱丽莎感觉到有一只手抓住了她的肩膀,她花了好大工夫才认出眼前这个眼睛深陷的人。

"地瓜?"

地瓜本想行一个屈膝礼,但爱丽莎扑过去扶起了他,并且紧紧地把他抱在怀里。

伴随着打嗝儿声,地瓜说出来一句话:

"**哦**,出来了,**系不系**?"

"对,地瓜,你出来了。"

地瓜有些胆怯,他不敢抱住爱丽莎的身子,因此,他张开着双臂,像是爱丽莎自己黏上去的一样。

爱丽莎的下巴靠在地瓜的肩膀上。

就在这时,她看见了一样东西,地瓜开始滔滔不绝地讲述,但爱丽莎什么都没听进去,乌云密布的天空中,她看到了一丝微弱的闪光。

像是星星的光芒。

等了几秒钟后,她又看到了,这不是在做梦。

"我很快回来。"她对地瓜说道。

爱丽莎推开他,穿过人群,找到了托比。托比听着,很快就抬眼望了望天空,他的表情也明朗起来了。

现在,爱丽莎看着托比远去,她不知道这个主意出得对不对。

几分钟后,爱丽莎看见托比在身后的蛋壳顶出现了。他站直了身子,深吸了一口气。除了爱丽莎,没人发现他。

托比张开双臂,向前走了一步。爱丽莎闭上了眼,等她再睁开时,托比已经在空中行走了。

　　慢慢的,一步接着一步,手臂张开着,朝着南边蛋壳走过去。一小团云慢慢地移过来了,填满了天空中最后一块空白。

　　一只大蜘蛛在蛋壳间铺了一张网,丝线晶莹透亮,肉眼几乎看不见,要不是有阳光的反射,爱丽莎也发现不了。一根长长的丝线连在两座塔楼之间,这是出其不意出现在人质羁押者面前的唯一途径。

　　底下,人们在等待着乔·密西提条件,所有人的眼睛都盯着蛋壳口,没有人发现这位在高空中行走的杂技演员。

　　托比慢慢地前进,奇怪的是,自己的每一步都稳稳地落在丝线上,感觉到自己不是行走在高空中,而更像是在尾随着某个人。

　　人群中起了一阵骚动,爱丽莎原以为是大家发现了托比。

　　原来是乔·密西。

　　他从蛋壳里出来了。这可不是一只雏鸟从自己的蛋壳中露出小脑袋,他像极了一块让人发笑的血块。

　　乔·密西挟持着罗尔奈斯教授,一只手抓着他的脖子,另外一只手拿着一把安装有四支箭的弓弩。看着这么多人出现在自己的面前,他乐极了,他觉得所有人都得向他求饶,这对他来说,是一种绝望的幸福。

　　最后一次,他将实施他的坏手段,乔·密西希望自己能超水平发挥,超过上一次的水平。他对自己承诺过,绝不能错过自己精心准备的残酷暴行,这将是他的杰作,比杀死埃尔·布吕还要精彩,而他就是靠着这桩杀人案树立起自己的权威的,在当时,他只要以国防者自居,指控光人,就能赢得大家的拥护。

　　但是,这一次,他要做得更好,有些时候人想失败都不可以。

　　正当他想进行威胁时,一个人从队伍的前列走了出来。

乔·密西野猪般地号叫了一声,抬起了一只厚重的眼皮,是谁这么大胆?

爱丽莎踮起脚尖想弄明白发生了什么事,一个人朝着乔·密西走了过去。

当大家认出是莱奥·布吕时,人群中一阵喧哗。

莱奥很平静地向着杀父仇人走了过去。

他没有疯,也没有求死的表情,第一次,人们在他脸上读到了一丝欢快。

从此之后,他不再与莫须有的敌人作战了,唯一的敌人就在眼前。

走了几步之后,残杀开始了,乔·密西拉开了弓弩,他瞄得不是很准,一支箭落到了莱奥的大腿上。

年轻的布吕没有停下脚步,继续往前。

又一支箭穿透了他的上臂。

爱丽莎开始大喊大叫,但是声音湮没在人群的嘈杂中,她拼命地挤到队伍的前列。

莱奥并没有放慢步伐,右边肋骨上挨了第三支箭。

乔·密西气炸了,油腻腻的汗珠像一颗颗蟑螂蛋,从后背流了出来。

老虎大叫着出现在蛋壳口。

"莱奥·布吕!放下武器!"

莱奥好像遵从了,他慢慢地拿起背后的飞去来器,一边一个扔了出去。

"现在,不准再往前走!"老虎还是大叫着。

但是莱奥没有听他的,又开始前进。

乔·密西把桑·罗尔奈斯扔在地上,向前走了一步,射出了最

后一支箭。

这一次，莱奥·布吕定住了一会儿，空气也凝固了。他的左腿弯了下去，我们以为他将倒下去，倒在连接梯中央，但是，这不是倒下，这是前进的步伐。他又向前迈了一步，向着这个摧毁他人生的人前进了一步，向着这个把他变成魔鬼的人前进了一步。

乔·密西扔下了弓弩，现在，他已经两手空空。

他开始往后退。

突然，烟蒂从他的嘴角出现了。

他笑了。

乔·密西想起他还有一件武器，这杀手锏可以让莱奥·布吕停下来：世界上独一无二的武器。他退到了桑·罗尔奈斯的身边，把脚踏在躺在地上的老教授的脑袋上。乔·密西的脸上又出现了蜗牛般的笑，就像是一个弱智在笑，烟蒂滑到了下巴上。

莱奥·布吕站在原地。

他知道，只要乔·密西稍微一动，教授的脑袋就会开花。

爱丽莎也不动了，跟其他人一样，一动不动地看着。下雨了，鸟巢里安静得可怕。

嗖嗖的风声打破了沉默。

所有的一切发生在千分之一秒之内。

莱奥·布吕漫不经心扔出去的飞去来器突然一左一右同时出现，它们围着蛋壳绕了一圈，然后无声无息地插进了乔·密西的脑袋。

乔·密西的两只眼睛滴溜溜地转了几圈之后，嘴巴开始变形，慢慢的，整个身子软了下去，像是一摊烂泥倒在桑的身旁。

莱奥也倒了下去，一丝笑容挂在嘴角。

老虎吓呆了，连忙躲回蛋壳，他紧紧地抓着美娅护住自己的

身子,同时用铁叉顶着美娅的脖子。蛋壳里就剩下他们俩了。桑在门边开始大喊起来:

"美娅!"

美娅也呼喊着丈夫的名字,但是,铁叉尖即将割断她的喉咙。

桑不敢再往前走。

一声尖叫。

一个黑影从天而降。

蛋壳里有了一阵响动,这声音像是一只水果被碾碎了。

美娅感觉到刀尖从她的皮肤上滑了下去,接着,老虎就直挺挺地倒在了地上。

托比从穹顶的小口子上跳了下来,刚好落在老虎身上,砸碎了他的脊椎骨,老虎断气了。

美娅扑了过去,儿子躺在地上发抖,他的头撞在地上,桑也跑了过来。

桑和美娅同时俯下身子,托比已经不动了。

美娅对着他的耳朵说了几句话,托比睁开了眼睛。

他看着父母,嘴唇开始动了起来:

"你们真好。"

桑非常感动,只说出了儿子的名字:

"托比。"

托比躺在地上,张开了双臂,三个人抱成一团。

雨中,爱丽莎久久地托着莱奥·布吕的头,他还有意识,但只剩下力气对着她笑了。

"结束了,"他用尽力气说道,"结束了。"

爱丽莎让他不要说话。

"我们会照顾你的,我的母亲什么都能治,你会活下去的,莱奥,你的父亲也要你活下去,之前你只是错失了时间,新生命开始了,莱奥,它开始了……"

莱奥的双眼蒙上了一层水汽,他再也感觉不到伤口的疼痛。雨水浸湿了他的衣服。

爱丽莎用手抚着莱奥的头发。

"我的小妹。"他说道。

当人们带莱奥·布吕去治疗时,爱丽莎终于可以与托比会合了。她走进了蛋壳,头发和脸都是湿的。

美娅一眼就认出了她,叫着她的名字,并且向她张开了双臂。

这不是重逢,因为这是她们第一次相见。


桑和美娅留下托比和爱丽莎,让他们独自待在蛋壳中,蛋壳外雨声不断。

走到门口的时候,桑最后望了一眼地上老虎的尸体,然后出了门。

"人生真的很奇怪，"桑对美娅说，"莱奥·布吕结果了杀父仇人乔·密西……"

美娅抱住了丈夫的胳膊，是她说完了这句话：

"而托比结果了老虎，结果了杀死尼诺·阿拉玛拉的刽子手。"

刹那间，她再一次回想起很久前的那一夜，桑给她抱来了裹在蓝色襁褓里的小托比。

"他父亲刚刚在监狱里被杀害了，"桑一边说，一边把婴儿抱给美娅，"他再也没有家人了……"

美娅把他抱在怀里，抚摸着他的头。

"他叫什么名字？"

桑回答道：

"托比·阿拉玛拉。但是从今以后我们不能再叫这个名字了。"

"那么，"美娅轻轻地说道，"我们就叫他托比·罗尔奈斯吧。"

# 第二十七章

# 另一种生活

冬去春来,又是一载,到了公元1年。

一切都重新开始了。

人们忘记了树梢鸟巢的存在。

转年的春天,一只猫头鹰在大树上安了家,黄昏时,就算是在巴斯-布翰希,也能听到它唧唧喳喳的叫声。

这只猫头鹰下了五颗蛋,它把它们都孵化了出来。

又过了几年,又有些猫头鹰栖息在这里。

一天,一只猫头鹰突然发现有个戴贝雷帽的人出现了,它不敢动,只是保护着自己的宝宝,让它们都睡在自己的身子下,但时不时会冒出一只蓬头散发的小脑袋来,猫头鹰妈妈很快就会把它拉进去,同时,目不转睛地盯着客人。

这位客人看起来很和蔼,一点也不危险,他艰难地爬上这棵陡峭的小树枝,这小树枝位于他家的上方。

"哟嗨!"爬上去的时候,他已经筋疲力尽了,但还是喊了一声。

他脱下帽子,对着猫头鹰行了点头礼。

一位年轻的小伙子来到了他身边,这就是托比。

两个人肩并肩地坐在树枝上。

"我们打扰到它们了。"桑·罗尔奈斯指着身子下方巨大的猫头鹰说道。

但是,托比的眼睛却望着别处,远方,那儿应该就是大草原。

"他好像就在那儿……"桑说道。

"对,伊莎·查像对待自己亲生儿子一样照顾着他。"

"她知道草原上所有的药剂。"

"她差不多快把他救活了。"

"可怜的莱奥。"桑叹了口气。

"他现在好多了,人们说还有一位姑娘整天跟他在一起……"

桑笑了,一位姑娘……这也是世界上最好的药。他重新戴上了自己的帽子。

"她叫伊莱娅。"托比说道。

桑转过身望着儿子,久久地看着他,他想说点什么,但还是放弃了……

"你是不是有什么事要跟我说,爸爸?"托比问道。

桑像是在找合适的句子。

"不……嗯……捕蝶者也在那儿。"

托比默认了。

阿尔拜央……追了几个月后,他终于找到了莱奥派下来的纵火者。就这样,他穿越了大树的主干、树根、大草原,这些都是他以前从来不敢去的地方,但通过这次旅行之后,他发现这里确实值得埃尔·布吕拿生命去冒险。

他的使命完成了,但是他决定留在大草原,留在离伊莎不远的地方。

"还有那位老疯子诗人呢?你跟他讲述了你的人生故事,我的儿子。"

"波尔·科楠?"托比笑着问道,"他已经接着写他的故事了,差不多快写完了。"

"科楠,我们年轻的时候都叫他'小蚱蜢',因为我们都说他的耳朵长在手里:他听到什么就写什么。"

事实上,教授很早之前就发现蚱蜢的耳朵真的是藏在前爪里。

托比从树枝上滑了下去,跑走了。

桑一个人待着,他摘下了贝雷帽,摸了摸脑袋。这一次,话到嘴边他还是没有说出口,没有告诉托比自己想对他说什么。

他叹了一口气。猫头鹰已经不看他了,一阵清风拂过树梢。

托比又出现了,手里牵着一位虚弱但看起来很高雅的夫人,桑·罗尔奈斯起身扶她坐下。

"你不应该上来的,美娅。"

美娅拍打着他的手,说道:

"你也不能装年轻了,教授。"

她看着迷人的景色说道:

"大树好多了。"

事实确实如此,大树复活了,地衣林慢慢地退去,阿芒家族和阿塞尔多赫家族太平地生活着。

火山坑只留下一道陈年伤痕,树皮慢慢地在修复它,生命显示着旺盛的活力。

没人知道大树之石放在那里——六尺之深的树皮下。托比把它扔进了火山坑深处,长出的新木早就埋藏了它,一年又一年,远离人们的贪婪。

"大树是有生命的，"桑说道，"他们终于相信我说的话了，已经很久没有人再问我巴拉依娜的秘密了……"

另外，桑想知道这只节肢小玩具现在变成什么样了，要知道，整个故事都开始于此。

"告诉我，托比……"

桑转过身时，托比已经不见了。

黄昏地平线的光芒下，美娅和桑凝望着树梢。

每根树枝的尽头都有一个一望无际的小平台，人们总想大踏步跨过去。

太阳还没落山，月亮已经升起来了，这时候的光线很特别。

"你对他说了?"美娅问道。

"没有。"

"好几年前你就想跟他说了。"美娅笑着说。

"我不知道,我不知道该怎么样……"

"他肯定知道尼诺·阿拉玛拉和德斯·阿拉玛拉的故事,只需要你跟他说出实情,他有权知道自己亲生父亲的名字……"

托比听到了,他就在他们俩身后。他不想吓着他们俩,于是悄悄地往上爬。他什么都听到了。

背上,有一个人正抱着他的脖子,贴着他的耳朵,轻轻说道:

"现在,托比,你知道你想要什么了……"

过去的两桩记忆猛地涌上了心头。

湖边岩洞里的那个冬季,岩洞壁上那幅画一直神奇地存在着。

然后就是那次在蛋壳间走丝线,也就是乔·密西死的那天……他记得自己的感受,像是尾随着某个人。

画家和走钢丝的艺术家,尼诺和德斯。

他的父母。

他们压根就没有抛弃过他。

当托比重新回到桑和美娅身边时,他的眼睛红红的,过了一会儿,他背上来一个年轻女子。

我们别说她很美,因为她比美还要更好。

她的头发卷曲在眼睛两侧。

桑和美娅让出地方给他们俩坐。托比喘着粗气,他已经筋疲力尽了。

"哟嗨!"他笑着说道。

"她没那么沉吧。"美娅说道。

"她倒是不沉,"托比大声说着,"是另外一个……"
爱丽莎的怀里抱着一个婴儿。

波尔·科楠

巴斯-布翰希　公元6年圣诞

作者简介

爱丽莎的眼睛

# 蒂莫泰·德·丰拜勒
## TIMOTHÉE DE FOMBELLE

　　蒂莫泰·德·丰拜勒出生于1973年，早期从事文学教师工作，但很快开始专业的戏剧创作。1990年他开创了一个剧团，自编自演把作品搬上舞台，并且一直没间断过撰写剧本。他十八岁那年创作的《灯塔》在法国上演大获成功，随后被翻译成其他几国文字，在俄罗斯、立陶宛、波兰和加拿大上演。剧本《我不停地跳舞》（南部行动出版社出版）在2002年阿维尼翁艺术节开幕式上得到专家推荐。《橡树上的逃亡》是他的第一部小说，本书为《橡树上的逃亡》的续集和大结局。

373　爱丽莎的眼睛

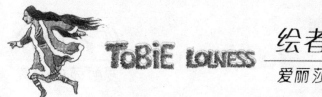

# 弗朗索瓦·普拉斯
## FRANÇOIS PLACE

　　弗朗索瓦·普拉斯出生于1957年,早年在爱斯坦美术专业学校学习"可视表达",《卡特发现集》(伽利马尔青年出版社出版)是他的第一部插画作品,之后他又为许多图书插画,其插画深受各位作家的赞赏。他同时也是一位幻想故事片作家,多次获得成功。他的插画代表作有《最后的巨人》(卡斯特曼出版社出版)、《老疯子画家》(伽利马尔青年出版社出版),还有《奥尔巴地图册》(伽利马尔青年出版社与卡斯特曼出版社合作出版)。在《爱丽莎的眼睛》里,我们又一次领略到他的绘画艺术。

# 中法译名对照表

Krolo　科尔罗

Patou　巴杜　即Patate,地瓜

Minos Arbïan　米诺斯·阿尔拜央

Jalam　嘉浪

Nouk　奴克

Milo　米洛

Mô　莫

Garric　伽赫克

Lou Tann　卢堂

Châgne　夏聂

Torfou　多尔福

Albert Rolden　阿尔贝·罗尔丹

Nino Alamala　尼诺·阿拉玛拉

Tess Alamala　德斯·阿拉玛拉

Solken　索尔肯

Lili　莉莉

Nouk　鲁克

Elrom　爱尔宏

# 《爱丽莎的眼睛》前传
## ——《橡树上的逃亡》

托比，这个身高只有1.5毫米的小人儿在黑夜里奔逃，虽然他只有13岁，却成了全族人追捕的对象。统治者乔·密西说他们一家是大树的反对分子，其实只是因为托比的父亲桑·罗尔奈斯不愿意公布一项能源发现的秘密，桑和美娅都被囚禁，只有托比侥幸逃了出来。托比逃回了他最熟悉的巴斯-布翰希，在这里，爱丽莎是他唯一信任的人。

爱丽莎把托比藏在湖边的树洞中，直到托比得知他的父母被关在"冬伯尔地狱"中，即使知道会九死一生，托比也要去救桑和美娅，爱丽莎拗不过他，只好想办法帮助托比进入"冬伯尔地狱"。可是这只是追捕者们的诡计，托比被困在狱中，他以为父母已死，爱丽莎也背叛了他。托比万念俱灰，他钻进了一颗槲寄生果，他知道莺将衔起这颗果子，将他一起带向死亡……

可是，他并没有死，槲寄生果被抛在草原上，托比见到了大树上人人谈之色变的草原光人。托比和光人们生活在一起，强迫自己忘掉大树上的一切，直到有一天，大树上的作家波尔·科楠流落到了草原，托比得知桑和美娅还活着，而且他们并不是自己的亲生父母，而他最记挂的爱丽莎即将被迫成为新一代暴君莱奥·布吕的妻子。

托比决定重返大树,因为他是大树上正在受难的人们的希望。托比出发了!